LE VIN ROUGE

le guide du connaisseur

Michael Edwards

LE VIN ROUGE

le guide du connaisseur

Michael Edwards

MODUS VIVENDI

Copyright © MCMXCVIII
Quintet Publishing Limited

Paru sous le titre original de :
The Red Win Companion

Publié par :
LES PUBLICATIONS MODUS VIVENDI INC.
3859, autoroute des Laurentides
Laval (Québec)
Canada H7L 3H7

Traduction : Florence Brutton
Design de la couverture : Marc Alain

Dépôt légal, 4e trimestre 2002
Bibliothèque nationale du Québec
ISBN : 2-89523-122-2

Sommaire

Introduction
6

PREMIÈRE PARTIE
LE *monde du* VIN ROUGE
7

DEUXIÈME PARTIE
Guide du vin rouge
55

Introduction

Dès l'Antiquité grecque, Homère fut sans doute le premier auteur à célébrer le vin rouge, puisqu'on peut voir représentée, sur le bouclier de son héros Achille, une vigne chargée de raisin noir. Ce livre est une célébration du vin rouge. On y mesurera le progrès accompli dans sa fabrication au cours des siècles jusqu'à aujourd'hui où on le considère comme le breuvage le plus chaleureux au monde. C'est une sélection toute personnelle, celle de quelqu'un qui a passé la plus grande partie de sa carrière à fureter dans les caves des producteurs. En bon traditionaliste, c'est l'équilibre et la mesure que je recherche dans les vins que j'aime, plutôt que la force ou la prouesse technique. Les vins doivent posséder une richesse qui les rend capables d'accompagner les mets harmonieusement – mais avec discrétion. Bien sûr, l'excellence est rarement bon marché, mais en élaborant cette sélection, je me suis toujours efforcé de choisir des vins d'un bon rapport qualité-prix.

COMMENT UTILISER CE GUIDE

Les domaines et propriétés vinicoles ne sont pas classés par pays ou par région, mais par le style des vins qu'on y fait et le type de producteurs qu'on y trouve. Il y a trois catégories de styles.

Les classiques : leurs noms sont généralement connus dans le monde entier. Ce sont des producteurs qui font leur vin de façon classique et naturelle, ce qui fait ressortir le caractère du terroir sur lequel pousse le raisin. Les «classiques» ne sont pas tous en Europe, et, *a fortiori*, en France, il s'en trouve de très grands aux États-Unis.

Les références : ce sont des producteurs que l'on admire car leurs vins d'appellation constituent des modèles du genre. Ils innovent souvent en matière de vinification et possèdent un vrai savoir-faire. S'ils ne sont pas forcément connus partout, ils sont capables de redonner à un domaine sa jeunesse et sa gloire passée.

Les étoiles montantes : ces producteurs sont apparus au cours des vingt dernières années ; ils constituent probablement les classiques de demain.

Cotation par étoiles : à chaque vin dégusté est attribuée une cote d'ensemble qui va de ★ (satisfaisant) à ★★★★★ (exceptionnel).

PREMIÈRE PARTIE

LE *monde du* VIN ROUGE

UN PEU D'HISTOIRE

Il est impossible de dire avec précision où et quand apparut le vin originel, car à l'opposé de ce qu'il advient en matière de distillation ou de brassage, la vinification est un processus naturel qui, théoriquement, peut se passer de toute intervention humaine. Une grappe de raisin se détache de la vigne, la peau se déchire et le jus qui s'échappe entre en contact avec des levures apportées par l'air : quelque temps plus tard, quelque chose, qui ressemble à du vin, apparaît. Nos ancêtres ont certainement observé ce phénomène, et il est fort possible que le vin soit aussi vieux que l'homme lui-même, au moins dans les contrées où la vigne pousse à l'état sauvage.

On pense que *Vitis vinifera*, le type de vigne dont sont issus la plupart des vins contemporains, est apparue vers 7500 av. J.-C. dans la région transcaucasienne qui correspond à l'Arménie et la Géorgie d'aujourd'hui. À l'époque classique, ces vignes poussaient dans la plupart des pays bordant la Méditerranée. Certaines peintures funéraires décorant des tombes de pharaons (vers 2000 av. J.-C.) représentent en détails toutes les étapes de la vendange dans l'Égypte ancienne. Si l'on en croit le célèbre écrivain Hugh Johnson, spécialiste du vin, « certains experts distinguaient les différentes qualités de vins avec autant d'assurance et de métier qu'un négociant en xérès ou un courtier en vins de Bordeaux du XXᵉ siècle ».

Bacchus,
le dieu du vin

Quant à la Grèce antique, le vin occupait une place de choix parmi les trésors de son admirable civilisation, et son rôle dans la vie quotidienne était de premier ordre. Dans *L'Iliade*, le vin est toujours de couleur sombre et la condition humaine prend la forme d'une vigne chargée de raisins noirs. Sous la domination mycénienne (1600-1100 av. J.-C.), on pense que le vin était exporté en Égypte, en Syrie, vers la mer Noire, en Sicile et en Italie du Sud. Plus tard, vers 600 av. J.-C., des Phocéens d'Asie Mineure fondent *Massalia* (Marseille), amenant avec eux le vin et les olives.

Le vin faisait aussi partie de la civilisation de Rome, et contribuait pour une grande part à l'économie de l'Empire. Deux grands auteurs romains, Pline et Columelle, décrivent les principaux types de vins du monde antique, mais il est difficile de savoir si ce sont les ancêtres de nos variétés modernes, tant ces différentes espèces ont pu changer avec le temps. Il est plus intéressant de goûter le puissant vin rouge d'Italie du Sud issu du cépage aglianico (originaire, dit-on, de la Grèce ancienne) chez d'excellents producteurs comme Mastroberardino à Avellino ou les frères d'Angelo en Basilicate.

Le premier vin rouge français vendu un bon prix en dehors de sa zone de production se situe au nord de la vallée du Rhône, à Vienne, autour du Ier siècle. Il sera célèbre plus tard sous le nom de Côte-Rôtie. Les premiers vignobles de Bordeaux et de Bourgogne furent probablement plantés au IIIe siècle ; d'autres suivront en Île-de-France, en Champagne et dans la vallée de la Loire, aux IVe et Ve siècles. Après la chute de Rome, la France – pourtant christianisée – allait entrer dans une sombre période de 300 ans qui ne prendrait fin qu'à l'accession au trône de Charlemagne. Il conquit la Germanie, la Lombardie et certaines parties de l'Espagne, pour réunir le tout dans le Saint Empire romain le jour de Noël de l'an 800. Grâce à la stabilité de son règne, les communautés monastiques prospérèrent et développèrent si bien la culture de la vigne et le travail en cave que certains viticulteurs traditionalistes suivent encore de nos jours leurs principes, du moins dans les grandes lignes.

BOURGOGNE... LES PREMIERS PERFECTIONNISTES

Les moines cisterciens furent les virtuoses de la viticulture dans le monde médiéval. Leur histoire commence en 1112, lorsqu'un jeune moine ascétique du nom de Bernard de Fontaine, à la tête d'un groupe de 30 novices détachés de l'abbaye de Cluny, vint s'installer dans le petit monastère de Cîteaux, au nord de Beaune. La règle en vigueur à Cîteaux était très dure – l'espérance de vie des moines était de 28 ans – et le régime consistait à casser des pierres pendant de longues heures dans un vignoble à l'abandon. Pourtant, à la mort de saint Bernard en 1153, les cisterciens faisaient du vin dans presque chaque communauté de Côte-d'Or, et dans un vaste périmètre entourant les 400 abbayes dispersées à travers l'Europe.

Tapisserie du XVI⁽ᵉ⁾ siècle illustrant les diverses étapes
de la vendange

Les cisterciens étaient des vignerons modèles, cherchant à obtenir les meilleurs vins en leur apportant tout le soin possible et en améliorant sans cesse leur savoir-faire par leurs recherches. Lalou Bize-Leroy, producteur émérite de Bourgogne, pense qu'en fait les cisterciens goûtaient la terre pour distinguer les terrains les uns des autres, et seraient en quelque sorte les inventeurs de la notion de « cru », qui représente dans un vignoble un morceau de terrain homogène, donnant une saveur et un style particuliers. L'Église contribua à les faire connaître dans l'Europe entière. Les papes d'Avignon, au XIV⁽ᵉ⁾ siècle, avaient un faible prononcé pour les vins de Bourgogne. Le duc de Bourgogne Philippe le Bon savait faire la publicité de ses propres

vins : lors d'une rencontre avec le pape à Bruges, il offrit aux délégués autant de vin français qu'ils pouvaient en boire, mais une seule gorgée de son précieux vin de Beaune.

L'adage selon lequel il vaut mieux « boire peu, mais du meilleur » est aussi ancien que les collines. Les superbes rouges de Bourgogne ont toujours échappé à une production exagérée ; ils sont le résultat d'une communion intime entre le pinot noir et les sols extraordinaires de la Côte-d'Or. Le vin est produit en petites quantités sur des parcelles exiguës, surtout depuis la Révolution de 1789 et le morcellement du vignoble bourguignon consécutif à la confiscation des biens de l'Église et à la liquidation des domaines appartenant à la noblesse de l'Ancien Régime.

Gravure du XIXᵉ siècle représentant la vendange sur la rive gauche de la Gironde, au-dessus de Pauillac. On aperçoit la tour du château Latour à travers les arbres, de l'autre côté du fleuve.

LES ANGLAIS ET LE « CLAIRET »

Le bordeaux rouge a toujours été le péché mignon des Anglais, depuis que l'Aquitaine est devenue anglaise à l'occasion du mariage du roi Henri II et d'Éléonore d'Aquitaine, en 1154. « Clairet » est le petit nom que donnent les Anglais au bordeaux rouge, signifiant par là qu'il s'agit d'un vin lumineux et transparent qui, au Moyen Âge, était beaucoup plus rosé que rouge et destiné à une consommation immédiate. En 1203, le roi Jean, fils d'Henri II, sauva les marchands bordelais en les exemptant d'une taxe prohibitive sur l'exportation de leurs vins. Moins de 50 ans plus tard, ils fournissaient 75 % des besoins de la famille royale anglaise. En 1307, Édouard II commanda pour son mariage plus d'un million de bouteilles de « clairet ».

À la fin de la guerre de Cent Ans, lorsque l'Aquitaine retourne à la couronne de France, Bordeaux continue à envoyer des bateaux de « clairet » en Angleterre bien que la demande diminue, après la mainmise des Hollandais sur le marché et leur préférence pour le vin rouge épais et bon marché. Le « clairet » reste un produit de gros jusqu'à l'apparition des bouteilles en verre et des bouchons de liège, vers 1630. Il a prouvé par la suite que c'était un bon vin, capable de vieillir plusieurs années en bouteilles fermées.

France

Gravure du château Longueville-Lalande (Médoc),
construit dans les années 1840

En 1663, le chroniqueur anglais Samuel Pepys écrivit le commentaire
de dégustation le plus célèbre ainsi rédigé : « J'ai bu une variété de vin
français appelé Ho Bryan que je n'avais encore rien goûté de tel. » Ce vin
était du Haut-Brion, le premier vin de Bordeaux vendu sous le nom du
château où poussait le raisin. Le propriétaire du domaine, Arnaud de
Pontac, marchand influent de bordeaux, appela son vin Premier Cru. Les
Anglais adorèrent, et il envoya son fils monter le premier restaurant de
Londres, le *Pontacks Head*, juste à côté de l'*Old Bailey*. Un dîner pour
deux, accompagné d'une bouteille de Haut-Brion, coûtait deux guinées
en 1666, soit environ 5 000 francs d'aujourd'hui.

Voyant le succès de Pontac, les grands propriétaires terriens du
Médoc se mirent à planter des vignes. Les noms de vignobles tels que
Latour, Lafite et Margaux apparaissent à peu près à cette époque. Au
XVIIIe siècle, les domaines les plus célèbres furent créés dans le Médoc et
sur la rive droite de la Gironde à Fronsac, Saint-Émilion et Pomerol.
Leurs noms sonnent comme un hymne en l'honneur du vin rouge :
Pichon-Longueville et Beychevelle, Leoville et Rausan, Figeac, Ausone,
Magdelaine et Trotanoy. L'ère du château à vignoble unique était née.

Une nouvelle espèce de marchands apparut alors à Bordeaux.
Souvent venus d'Europe du Nord, ils servaient d'intermédiaires entre
les propriétaires de châteaux et une clientèle anglaise composée de
l'aristocratie terrienne et de la classe moyenne aisée. Ces marchands

La vieille ville et les vignes de Saint-Émilion

tout-puissants, les chartronnais, eurent le monopole du commerce du vin pendant 200 ans, jusqu'à la fin des années 1980. Mais, en ce début de siècle, tandis que la concurrence fait rage entre producteurs de vin du monde entier, la décision appartient aux consommateurs qui ont bien d'autres choix que les vins de Bordeaux.

AU-DELÀ DES PYRÉNÉES

Dans le domaine du vin, l'Espagne est un géant endormi, car elle possède la plus grande superficie de vignobles au monde. Pourtant, avec le climat très sec qui règne sur le plateau central de Castille et l'interdiction d'irriguer, la quantité de vin produite est plutôt faible si on la compare aux productions française et italienne. Le royaume arabe éclairé du sud de l'Espagne, sous l'égide duquel on appréciait le vin, tomba en 1492 avec la défaite des Maures à Grenade, au moment où Christophe Colomb, ayant débarqué aux « Indes occidentales », découvrait l'Amérique.

Mis à part le xérès et le blanc moelleux de Malaga, l'Espagne exportait peu de vins de qualité jusqu'à la fin du XIXe siècle. Le phylloxéra, ce puceron qui se nourrit du raisin et provoque sa destruction,

Vignes appartenant à la famille du marquis de Griñon, propriétaire d'un des plus fameux domaines vinicoles d'Espagne

Espagne

ravagea les vignobles français dans les années 1880. Le malheur des Français fut une chance pour la région de Rioja, de l'autre côté des Pyrénées, car des vignerons français affluèrent dans la région, amenant avec eux leur science du vin et leurs barriques de bois. De grands domaines comme Marqués de Murrieta et Lopez de Heredia furent alors créés et produisirent rapidement de magnifiques vins rouges qui se classent encore parmi les meilleurs du monde.

La première moitié du XXe siècle fut, pour les Espagnols, une période de souffrances et de privations, surtout lors de la guerre civile, de 1936 à 1939. Les choses s'améliorèrent dans les années 1960 avec le boom de l'exportation de rioja en Grande-Bretagne. Après la mort du général Franco en 1975, apparut une classe moyenne aisée, désireuse d'acquérir du vin de qualité. On peut trouver maintenant d'excellents vins rouges au-dessous de 60 francs la bouteille un peu partout en Espagne, notamment en Navarre, Penedés, Ribera del Duero et León ; le valdepeñas, sur le vaste plateau de la Mancha, peut être considéré comme le plus avantageux de tous.

LE PARADOXE ITALIEN

L'Italie est un pays paradoxal. Il a derrière lui une tradition vinicole plurimillénaire, c'est un pays dont les armées ont apporté le vin dans presque toute l'Europe occidentale et où le vin joue quotidiennement un rôle important. Pourtant, l'Italie est restée longtemps en retard dans ce domaine. Jusqu'aux années 1970, exception faite des vins de Toscane et du Piémont, très peu de bons vins italiens étaient exportés. Ce qui passait les frontières, c'étaient de grosses quantités de vin en vrac – de celui qui râpe le gosier dans les *trattorie* – vendues aux communautés italiennes installées à l'étranger, notamment aux États-Unis.

L'aspect le plus heureux de ce paradoxe est que l'Italie, potentiellement, représente un paradis pour la fabrication du vin, avec une bonne centaine de cépages d'origine couvrant une palette de saveurs tout à fait étonnante. Malgré une présence toujours très forte de la tradition, un courant de producteurs talentueux à l'esprit ouvert a permis une amélioration considérable de la vinification depuis le milieu des années 1960. La meilleure preuve en est, dans le Piémont, l'existence du pauillac italien. Si vos souvenirs du barolo sont ceux d'un solide vin rouge exagérément tannique, vous aurez une révélation en en goûtant deux versions délicates et raffinées, celles d'Aldo Vayra et de Domenico Clerico. En Toscane, l'image dépréciée du chianti en fiasques gainées de paille est une histoire dépassée. En effet, les viticulteurs ont supprimé dans leur assemblage le trebbiano, cépage traditionnel et acide, au profit du sangiovese dont la proportion a été augmentée et qui vieillit en fûts plus petits, à la bordelaise.

Et dans le talon de la botte, les robustes vins rouges des Pouilles, utilisés jadis pour renforcer les mélanges de vins septentrionaux, connaissent un renouveau avec d'excellentes bouteilles du savoureux cépage negro amano.

Italie

Vignobles de San Guido Sassicaia,
en Toscane

L'APPEL DU NOUVEAU MONDE

La plupart des récits font commencer l'histoire du vin en Amérique du Nord par l'arrivée en 1769 d'un franciscain, le frère Junipero Cerro, dans le sud de la Californie où il fonde la mission San Diego. C'est la première d'une série de missions catholiques qui vont atteindre Sonoma, au nord de San Francisco, dans les 50 années suivantes. Les frères font du vin, sans doute à partir du cépage criolla d'origine européenne, pour commencer. Pourtant, l'Amérique du Nord n'a pas attendu les franciscains pour produire du vin. D'après l'historien américain du vin Leon D. Adams, les huguenots français réussirent à faire du vin en Floride au XVIᵉ siècle, ce que firent aussi les premiers colons de Jamestown en Virginie, en 1609. Encore plus tôt, Cortés, alors gouverneur du Mexique, planta des vignes à El Paso (Texas).

L'histoire du vin en Californie est une suite de hauts et de bas. Les vignobles se multiplièrent dans les années qui suivirent la ruée vers l'or de 1849, mais la première période de commerce actif se situe à la fin du XIXᵉ siècle. Des fortunes liées au vin sont amassées, puis aussitôt perdues. C'est alors que tombe le couperet de la prohibition : en 1919, tous les États de l'Union sont « secs », du moins officiellement. Lorsque prend fin la prohibition en 1933, le marché est inondé de raisin à

Une illustration de la fin de la prohibition (1933)
à New York

Californie

dessert et il faudra attendre 1968 pour que la consommation de vin de table dépasse celle de vin moelleux.

Une bonne part du succès des vins californiens vient de l'emploi des cépages cabernet sauvignon et zinfandel depuis les années 1970. À la fin du XXe siècle, les vins rouges de Californie tiennent leur rang parmi les meilleurs vins du monde. Les cabernets surpassent régulièrement les bons bordeaux lors de dégustations à l'aveugle, et quelques producteurs de Carnero et Santa Barbara font un pinot noir qui vaut largement tous ceux que l'on fait hors de Côte-d'Or, et qui dépasse même certains de ceux que l'on y produit. Le vin de Californie a atteint sa majorité.

Plantiers à Los Carneros (Californie)

BEAUCOUP PLUS BAS

Peu d'amateurs de vin connaissent les distances qui séparent les régions viticoles en Australie. Si l'on veut se rendre de la région torride de Swan River, à l'ouest de l'Australie, jusqu'à la fraîche Yarra Valley dans l'État de Victoria, le voyage est aussi long que si l'on allait d'Espagne en Norvège. Rien d'étonnant à ce que Hugh Johnson appelle l'Australie la France de l'hémisphère sud, si l'on pense à sa capacité de faire de bons vins de tous les styles. Mais quand on parle du vin en Australie, le thème le plus fréquent est bien celui d'un potentiel inexploité, à mettre en rapport avec la faible demande de vins équilibrés et raffinés que ses vignes sont capables de produire depuis l'origine.

Vers 1850, tous les États d'Australie, excepté le Queensland et le Territoire-du-Nord, possédaient des vignobles fournissant un vin commercialisable. À la fin du XIXe siècle, la carte du vin était déjà celle d'au-

Australie

Vignobles dans la vallée de Barossa,
Australie du Sud

jourd'hui. Pour les producteurs australiens de vin rouge, la période qui va de 1900 à 1950 fut une période sombre. Les vignobles connurent un déclin dû à la consommation croissante de vins à fort degré d'alcool, et seules quelques maisons résolues comme McWilliams et Hardy continuèrent à faire du bon vin, mais en petites quantités.

Curieusement, le renouveau survint en 1953 avec la fin du rationnement de la bière. Cette année-là, Max Schubert produisit à Penfolds sa première cuvée officielle de Grange Hermitage, reconnu aujourd'hui comme le plus célèbre vin rouge australien. Il le fit malgré l'opposition de ses patrons, qui avaient décrété qu'un vin issu du seul cépage syrah ne se vendrait jamais. Presque un demi-siècle plus tard, la viticulture en climat frais a fait un retour spectaculaire. En Australie-du-Sud, le district de Coonawarra, enveloppé de brumes, produit actuellement les vins rouges les plus somptueux du continent. Ils proviennent surtout du cabernet, sous un climat pourtant beaucoup plus frais que celui de Saint-Émilion ou de Napa Valley, et possèdent un goût marqué en épices et chocolat qui ne peut exister qu'en Australie.

LA NOUVELLE-ZÉLANDE

De l'autre côté de la mer de Tasman, la Nouvelle-Zélande est plus connue pour l'élevage des moutons que pour la culture de la vigne. On planta des vignes dans l'île du Nord dès 1820, mais il fallut attendre 150 ans de plus pour que les Néo-Zélandais réalisent que la fraîcheur de leur climat était idéale pour les cépages classiques. Les riches arômes de fruits tropicaux du sauvignon blanc marlborough firent fureur dans les restaurants londoniens dans les années 1990. Pourtant, je pense que c'est le pinot noir, et spécialement celui du Nord-Canterbury, qui a les meilleures chances de produire un vin de classe mondiale susceptible de rivaliser avec des bourgognes de milieu de gamme.

Nouvelle-Zélande

Auckland

ÎLE DU NORD

Gisborne

Baie de Hawke

Nelson

Blenheim

Wairarapa

Canterbury

Christchurch

ÎLE DU SUD

Otago

QUEENSTOWN

LE CAP : TOUS LES ESPOIRS SONT PERMIS

L'histoire du vin en Afrique du Sud commence en 1656, lorsque Jan Van Riebeeck, gouverneur de la colonie du Cap, plante les premiers pieds de vigne. Il faut attendre 30 ans et l'arrivée de huguenots français réfugiés après l'édit de Nantes pour assister au véritable essor de la

Tableau de 1849 de la vallée de Paar, province du Cap

Laborie, le quartier général de la KWV, la puissante coopérative vinicole d'Afrique du Sud

viticulture. Leurs descendants, comme les Malan et les Joubert, font toujours du vin près de Paarl et de Stellenbosch.

Au début du XXᵉ siècle, le trait marquant de la viticulture sud-africaine est une nette surproduction de vin. Le tout-puissant système coopératif créé en 1918 par la KWV (Kooperatieve Wijnbouwers Vereniging) pour protéger les intérêts des viticulteurs fonctionne encore de nos jours. Si l'on peut se féliciter de ses initiatives pour couper court à la surproduction, on peut déplorer que les restrictions imposées à la création de nouveaux vignobles aient été longtemps un obstacle au progrès. Par bonheur, le nombre de domaines viticoles privés s'est accru dans les années 1990. La qualité de ces nouveaux vins rouges est variable, de par la présence d'une curieuse variété de cabernet. En revanche, la syrah d'un célèbre domaine comme celui de Fairview à Paarl, ou le pinot noir d'un Hamilton Russell à Hermanus, sont des vins de classe mondiale à boire en bonne compagnie.

Afrique du Sud

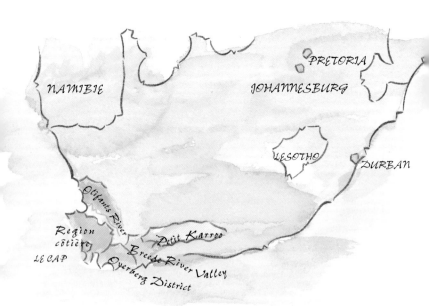

LA QUALITÉ DU VIN

Dans le monde rigoureux et critique de Robert Parker et de sa notation sur 100, il est facile d'oublier à quel point le vin peut être simple. Au départ, ça n'est pas autre chose que du raisin abîmé dont les sucres se sont transformés en alcool. Mais, par ailleurs, depuis l'apparition de la bouteille et du bouchon au XVIIᵉ siècle, les négociants ont cherché à faire un vin meilleur et plus élaboré qui puisse se conserver plus longtemps. La viticulture et la fabrication du vin ont longtemps été un travail de spécialistes nécessitant une attention sans faille et un sens aigu de l'observation. La science moderne du vin, l'œnologie, est parvenue à élever techniquement la qualité à un tel niveau, qu'on ne peut plus guère trouver de vin franchement médiocre chez un détaillant ou sur la carte d'un restaurant.

Pour comprendre ce qui fait un grand vin, il faut revenir aux éléments de base, et prendre en compte le concept essentiel de la viticulture moderne qui est celui de « terroir ». Ce mot, nimbé d'une aura quasiment mystique, s'emploie pour désigner l'interaction complexe de facteurs naturels tels que le climat et la composition des sols. Ces éléments façonnent la personnalité d'un vignoble et, par extension, le goût de son vin.

LE CLIMAT

Sachant que la qualité d'un vin rouge dépend, entre autres, de bonnes conditions météorologiques pour que le raisin puisse arriver à maturité, intéressons-nous d'abord au climat. Certains des vins rouges les plus délicats sont produits dans des zones fraîches, et l'on sent qu'entre maturité et acidité, l'équilibre est fragile. Dans ces conditions, la température du sol et la capacité de ce dernier à garder la chaleur du soleil sont de première importance. Les racines de la vigne poussent mieux sur un sol chaud, et dans certains endroits – comme Chinon, dans la vallée de la Loire, ou Irancy, au nord de la Bourgogne – ce facteur est aussi important que la nature des minéraux contenus dans ce sol.

Les théoriciens aiment à classer les vignobles par zones climatiques, mais la tâche n'est pas si aisée. On ne peut, en effet, se limiter à l'enregistrement de l'ensoleillement, de la nébulosité moyenne, du vent ou de la pluviométrie. Certains éléments comme le relief peuvent compliquer les choses si l'on tient compte du fait qu'une différence d'altitude de 100 m correspond à une différence moyenne de température de 5 °C. Les variations provoquées par de tels facteurs ne peuvent ressortir que si l'on distingue climat et microclimat.

Le climat concerne des zones plutôt étendues, et s'il y a du relief, par exemple, les informations manqueront de précision. L'étude du microclimat, en revanche, permet de savoir ce qui peut se passer à l'échelle d'une parcelle particulière, en tenant compte de son étendue et de sa déclivité, et même de faire une différence, dans une même vigne, entre des grappes de raisin situées près du sol et d'autres plus hautes.

Il existe, naturellement, un seuil minimal de température en dessous duquel la vigne ne peut pousser. Ce seuil varie selon les cépages ; il est

ENSOLEILLEMENT DES VIGNOBLES DANS LE MONDE

Le professeur Winkler, de l'université de Californie, a inventé un système fondé sur le nombre de degrés emmagasinés par jour, qui permet de classer les vignobles du monde en cinq régions climatiques en fonction de cet ensoleillement quotidien, la région 1 étant la plus froide et la région 5 la plus chaude. Ce système fonctionne bien lorsqu'on l'applique à la Californie, région que Winckler connaît le mieux. Il est moins fiable pour les autres pays, car il manque des outils capables de prendre en compte les variations de relief, la durée du jour et les changements possibles de la date des vendanges à l'occasion d'années défavorisées ou particulières. Mais les rapprochements et les comparaisons qui suivent fournissent matière à réflexion.

RÉGION 1 Russian River et Santa Cruz Mountains (Californie) ; Willamette Valley (Orégon) ; Bourgogne ; Bordeaux ; Neusiedler See (Autriche) ; Canterbury (Nouvelle-Zélande).

RÉGION 2 Maipo (Chili) ; Rutherford (Californie) ; État de Washington.

RÉGION 3 Béziers (France) ; Calistoga (Californie).

RÉGION 4 Paarl et Stellenbosch (Afrique du Sud) ; Marches (Italie).

RÉGION 5 Central Valley (Californie) ; Sicile ; Tunisie ; Crète ; Swan River (Australie occidentale).

de 12 °C pour le cabernet sauvignon mais de 10 °C pour le pinot noir, par exemple. Si l'on fait le total des heures pendant lesquelles, au cours de la période de croissance, la température a dépassé ce seuil minimal pour un vignoble, on obtient le total de la chaleur accumulée. En additionnant ces résultats pour les vignobles de toute une région, on a une idée assez claire des capacités de cette région à produire de bons vins ; on peut aussi confronter cette information à celles qui touchent à d'autres vignobles dans le monde, sans oublier toutefois que le sol influe sur le résultat de façon différente selon qu'on se trouve en Europe ou en Amérique (voir encadré page précédente).

LE SOL

L'importance du sol a longtemps nourri un débat animé entre viticulteurs d'Europe et du Nouveau Monde. Jacques, vigneron en Bourgogne, assure que ce sont les minéraux contenus dans le sol qui font la structure et la force de son Morey-Saint-Denis ; Jim, viticulteur en Australie occidentale, fera valoir au contraire la chaleur sèche et la proximité de la mer de son vignoble pour expliquer la saveur épicée et

Sol pierreux du Minervois, en Languedoc

Sol silico-argileux des Graves (Bordelais)

le goût frais de feuille verte de son pinot noir Margaret River. Ils ont tous les deux raison. Selon Olivier Humbrecht, spécialiste français de la vigne et grand voyageur : « Ces approches différentes témoignent des différences de conditions naturelles dans lesquelles s'inscrivent les vignobles de par le monde. En France, par exemple, la pluie doit occuper une bonne moitié de la période de croissance, mais en fait, il est courant que les précipitations s'étalent régulièrement sur l'ensemble de la période. En Australie, au contraire, la pluie est souvent insuffisante durant la période cruciale du printemps et de l'été, et parvient mal à nourrir la vigne. Le raisin manque alors d'humidité, et donc d'acidité. »

Cette différence d'approche a néanmoins été exagérée, car des viticulteurs australiens et californiens viennent souvent en France à l'époque des vendanges, et ils connaissent aussi bien que les Français l'importance du sol. « Le vin commence dès le vignoble » est devenu un cliché commercial, qui dit clairement combien il est essentiel de faire pousser le bon cépage sur le sol qui lui convient.

Humbrecht nous rappelle que le sol est un mélange de minéraux et de matières organiques, et que les éléments qui le constituent sont classés par ordre de taille. Les plus gros sont les pierres et les graviers ; on trouve ensuite le sable, le limon et l'argile, qui possède les éléments les plus petits. Anthony Hanson, dans son ouvrage où il reprend les recherches de R. Gadille, écrit que « la proportion de cailloux et de petites pierres a une incidence sur le drainage du sol ; celle de particules d'argile sur sa fertilité... cette présence est capitale, car les particules retiennent l'eau et forment dans le sol ce mélange dans lequel les racines de la vigne puisent leur nourriture. »

Quel que soit le type de sol, il faut un cépage qui lui soit adapté. Le cabernet sauvignon mûrit difficilement en Touraine, alors qu'il le fait magnifiquement en Australie-Méridionale, dans le district de Frankland, où les cailloux ne manquent pas et où l'ensoleillement est idéal. Le pinot noir préfère des sols un peu plus riches, comme les sols calcaires qui retiennent mieux l'eau et sont un peu plus frais, ce qui est le cas pour la Côte-d'Or ou le district de Canterbury en Nouvelle-Zélande. La zone du barolo en Piémont est un bon exemple de l'influence des sols sur la qualité du vin. Le sol est composé d'une argile très riche ; le climat est chaud et ensoleillé et le cépage nebbiolo mûrit de bonne heure. Bien qu'il s'agisse d'un pays méditerranéen, le vin qui en résulte est bien équilibré et possède un bon taux d'acidité, grâce à l'altitude des vignobles et à la fraîcheur des sols. C'est l'exemple parfait d'une combinaison réussie entre cépage, sol et climat, associés pour produire un vin complet.

La terre rouge, caractéristique du Coonawarra,
Australie du Sud

LA VIGNE

On compte qu'il existe plus de 2 000 variétés de *Vitis vitifera*, la vigne dont on tire le vin, bien qu'une centaine seulement soient à l'heure actuelle en mesure de produire. Pour des raisons pratiques, les grands vins rouges à travers le monde sont faits à partir d'un petit nombre de cépages nobles. Les plus remarquables sont le cabernet sauvignon, la syrah et le pinot noir, dont le succès est international. Les cabernet franc, merlot, grenache, mourvèdre, nebbiolo, sangiovese et tempranillo sont très bien placés, eux aussi, au niveau de la qualité, mais ils donnent souvent le meilleur d'eux-mêmes dans leurs pays ou localités d'origine (voir Les cépages p. 40).

La façon de cultiver la vigne a une très grande incidence sur la qualité du vin. On peut, entre autres, augmenter très fortement la productivité d'un vignoble grâce à l'emploi de fertilisants, au choix des souches et des clones, et grâce à la méthode de taille. Mais on ne peut pas faire un grand vin rouge si le rendement en raisin est excessif. En

Vendange à la main, dans la région de Châteauneuf-du-Pape (vallée du Rhône)

France, les instances de régulation en matière de production de vins fins sont assez laxistes et autorisent, pour les célèbres bordeaux rouges, des rendements qui sont parfois le double de ce qu'ils peuvent être pour un cabernet sauvignon de Santa Cruz, en Californie, ou de Coonawarra en Australie.

Le cycle biologique annuel du vin est à peu près le même dans le monde entier, avec quelques différences facilement explicables. À Saint-Estèphe, un village situé dans le nord du Bordelais où le cépage qui prédomine est le cabernet sauvignon, on estime à 100 jours la période qui sépare la floraison de la vigne et le moment des vendanges. Dans un endroit chaud de l'hémisphère sud, Upper Hunter Valley, en Nouvelle-Galles-du-Sud, le cycle du cabernet peut être ramené à 85 ou 86 jours, mais jamais moins. La différence principale est que, dans les régions du nord, une année où les températures sont basses, le raisin risque de manquer de maturité. Dans le sud, à l'inverse, le raisin peut manquer d'acidité. Le cabernet sauvignon peut présenter un déséquilibre au même titre que le saint-estèphe, mais ces déséquilibres n'ont rien à voir l'un avec l'autre.

La façon de cueillir le raisin est un autre facteur déterminant pour la qualité du vin. Poussés par les nécessités de rendement, les vignerons du monde entier font de plus en plus appel aux machines pour vendanger. Le travail est beaucoup moins pénible et largement plus rapide. Le remarquable producteur de chablis Michel Laroche, qui fait aussi un excellent vin rouge en Languedoc, en expose clairement avantages et inconvénients : « Si la récolte est saine, l'usage de la machine n'est pas une mauvaise chose, mais quand il y a un problème avec le raisin et qu'il faut choisir les grappes, la machine n'est plus capable de faire correctement le travail. »

Vendange à la machine à vendanger, en Languedoc

FABRICATION DU VIN ROUGE

Dans la plupart des cas, le raisin est d'abord égrappé, puis pressé, avant que tout s'en aille – pulpe, pépins et peaux – dans une cuve de fermentation après adjonction d'un peu d'anhydride sulfureux pour l'aseptisation. En Bourgogne, certains vignerons rajoutent des rafles (la grappe de raisin sans les grains), car ils estiment que cela donne de la structure au vin. Dans la cuve, la fermentation alcoolique s'effectue, tandis que la pellicule et les pépins du raisin macèrent. Cette phase dure de cinq jours à une semaine et peut être comparée à une marinade en cuisine. La macération sert avant tout à donner au vin sa couleur et sa stabilité.

ÉTAPES DE LA FABRICATION

1 Vendange du raisin

2 Égrappage du raisin

3 Pressurage du raisin

4 Première cuvaison, de 4 à 7 jours
à 2 ou 3 semaines

5 Décuvage du « vin de goutte »
de la cuve de fermentation

6 Pressurage du marc donnant
le « vin de presse », plus tannique

7 Assemblage précis du « vin de goutte »
et du « vin de presse »

8 Fermentation malolactique
(transformation de l'acide malique
en acide lactique) pour adoucir le vin

9 Clarification du vin (par collage, soutirage et affinage)

10 Vieillissement du vin (en fûts, de 6 mois à 2 ans)

11 Mise en bouteilles du vin (2 à 6 mois
avant consommation pour les vins jeunes,
2 ans et plus pour les vins de garde)

La sélection des raisins se fait manuellement
au domaine de la Romanée-Conti.

Si l'on fait la comparaison avec le vin blanc, la durée de macération du vin rouge est assez longue. Dans des vignobles comme
celui de l'Hermitage (nord des Côtes-du-Rhône), elle peut durer
jusqu'à trois semaines, ce qui donne au vin sa structure tannique
très accentuée. À l'opposé, dans le vignoble australien Hill of Grace
des Henschke, sept à huit jours de macération suffisent au cépage
syrah qui est celui de l'Hermitage. Il est vrai que le domaine entend
conserver à ses vins un faible taux de tanin, et que les 120 ans d'âge
des vignes dont ils sont issus contribuent pour beaucoup à leur
saveur richement veloutée.

Pressage du raisin dans la cave de Miguel Torres (Chili)

Fermentation du moût en cuve ouverte, Hunter Valley
(Australie)

En Bourgogne, où la robe naturelle du pinot noir est vermillon léger plutôt que pourpre, on plonge deux ou trois fois par jour le chapeau (la couche flottante formée de rafles, pellicules et pépins) dans le jus de fermentation pour en extraire doucement couleur et tanin. Bien des Bourguignons font encore cela en entrant dans les cuves à moitié nus et en noyant le chapeau avec les pieds, au mépris des risques que comporte l'inhalation des vapeurs toxiques dues à la fermentation. De nos jours, la tâche s'effectue à l'aide d'une machine pneumatique.

Il existe aussi la méthode de Guy Accad, œnologue bourguignon qui, dès le milieu des années 1970, a régénéré la vinification dans certains domaines plutôt médiocres de la Côte-d'Or. Il préconise le trempage à froid de la pellicule du raisin dans son propre jus, pendant les deux ou trois jours précédant la fermentation. Le résultat est un vin rouge dont la robe foncée est un bon atout pour la vente. Leurs arômes, en revanche, peuvent manquer de finesse et ne pas correspondre à l'idée que l'on a d'un bon bourgogne rouge.

Les grands vins rouges de longue garde peuvent passer de 18 mois à deux ans à vieillir en fûts de chêne neufs avant embouteillage. Cet usage des fûts est plus destiné à ralentir l'oxydation du vin qu'à en boiser le goût, même si les arômes épicés et le tanin qui se dégagent du bois donnent au vin davantage de richesse et de complexité. Le pourcentage de chêne neuf employé dépend du cépage, de la force ou de la finesse d'un vin, et enfin de l'année. Le chêne à grain fin et bien sec du Troncais, d'Allier ou des Vosges est recherché dans le monde entier, et la tonnellerie est une affaire qui marche depuis le milieu des années 1980. L'emploi du chêne en vinification peut être comparé à celui du sel et du poivre en cuisine : en mettre peu relève un plat, en mettre trop, et c'est la catastrophe.

Avec ces méthodes, on obtient naturellement des vins riches en tanin qu'il faut éviter de boire trop vite. Il existe une méthode de vinification plus rapide appelée macération carbonique, utilisée pour les vins rouges du Beaujolais et des Côtes-du-Rhône, destinés à être bus dans les quelques mois qui suivent la vendange. Dans ce cas, fermentation et macération s'effectuent avec du raisin non foulé. Sous le poids des raisins, ceux placés en bas éclatent, ce qui donne lieu à une fermentation classique en libérant du gaz carbonique qui isole les raisins d'en haut du contact avec l'air. Les vins ainsi produits présentent une jolie couleur, ils sont fruités et très peu tanniques.

Les vins rouges destinés à une consommation rapide sont embouteillés de deux à six mois après les vendanges, alors que les vins vieillis en fûts, mieux structurés, attendent de 18 mois à deux ans avant de quitter le tonneau. J'hésite, personnellement, à juger des qualités d'un vin qui est en bouteille depuis moins d'un an. D'autres spécialistes ont un avis différent, mais… vive la différence !

Vieillissement du vin en fûts,
domaine de la Romanée-Conti (Bourgogne)

LES CÉPAGES

Si le sol peut souvent façonner la structure et la stabilité d'un bon vin rouge, le cépage lui donne son style et les saveurs de fruits qui le personnalisent. On pourrait penser que le vin doit avoir un goût de raisin, mais seules quelques variétés de blancs parfumés comme le muscat ont le goût du raisin, alors qu'en général, les cépages présentent plutôt les saveurs d'autres fruits, voire de plantes ou d'épices. Parmi les cépages vedettes, le cabernet sauvignon fait penser au cassis, le pinot noir à des fruits rouges, tels que fraise et cerise, et la syrah à la mûre et au poivre noir fraîchement moulu.

LE CABERNET SAUVIGNON

C'est le roi des cépages, celui dont sont issus les vins rouges les plus nobles, et le plus répandu dans le monde. Le raisin possède des grains de petite taille, à la pellicule épaisse et mûrit tardivement ; il donne des vins à la robe foncée, très tanniques lorsqu'ils sont jeunes, mais dotés d'une capacité de vieillissement exceptionnelle. Des régions comme celles du Médoc et de Graves, dans le Bordelais, sont la patrie traditionnelle du cabernet sauvignon. Château-Latour et Mouton-

Cépage de cabernet sauvignon dans un vignoble de Mendoza (Argentine)

Rothschild sont des premiers crus dans lesquels ce cépage entre pour une forte proportion, et ces deux bordeaux peuvent vieillir jusqu'à 50 ans les grandes années. Le cabernet sauvignon possède pourtant un goût si typé qu'il tire avantage à être mélangé au merlot, dont le goût est moins accentué (ce qui se produit pour la plupart des bordeaux rouges), ou, de manière plus originale, avec la syrah (gros succès en Australie). En Californie, presque tous les cabernet sauvignons produits au cours des années 1970 étaient redoutables et beaucoup trop forts, mais, ces dernières années, les viticulteurs californiens ont eu l'idée judicieuse d'y ajouter du merlot, remédiant par là à cet état de choses. Le Chili, quant à lui, produit actuellement un cabernet sauvignon dont le goût évoque à la perfection celui du cassis, tandis que l'Australie en produit toute une gamme de styles différents dont les tanins, présents, mais discrets, les rendent très agréables à boire.

LE PINOT NOIR

Si le cabernet sauvignon peut être considéré comme le roi des cépages, le pinot noir serait leur reine. D'un goût délicat et intense à la fois, il associe un fruité rafraîchissant à une étonnante complexité et peut donner des vins rouges parmi les plus passionnants du monde, surtout lorsqu'ils naissent sur le sol calcaire de la Côte-d'Or. Mais l'histoire ne s'arrête pas là, car on sait aussi que c'est un cépage difficile à faire pousser et à vinifier. Le raisin mûrit rapidement, mais il est fragile ; sa peau est fine et il a une tendance à pourrir. Il pousse bien sous un climat tempéré, assez chaud pour que ses grains mûrissent et conservent leur acidité naturelle, mais assez frais pour éviter un ensoleillement excessif qui fasse monter leur teneur en alcool et disparaître leurs arômes de fraise et de cerise. Ce sont des facteurs qui permettent de comprendre pourquoi, sous le climat instable de la Bourgogne, les vins peuvent être, selon les années, plutôt quelconques ou carrément sublimes. Cela explique aussi que le pinot noir, cultivé dans une zone plus chaude que le nord de la Bourgogne, donne un vin trop sucré et mal équilibré.

Malgré tout, cette distinction entre la qualité des bourgognes rouges classiques et celle des autres pinots noirs, n'a pas lieu d'être exagérée. Dans des régions plus fraîches comme celles de Carnero et de Santa Barbara en Calfornie, de Willamette Valley en Oregon, de Walker Bay en Afrique du Sud et de Yarra en Australie, on produit des pinots noirs élégants et complets qui pourraient donner des insomnies aux meilleurs domaines bourguignons. On peut prévoir que, dans le futur, les pinots des régions fraîches de Martinborough et de Canterbury, en Nouvelle-Zélande, vont devenir célèbres. Le secret d'un grand pinot noir, c'est une production contenue dans certaines limites, l'imagination et l'intuition de celui qui le fait. Ce panorama vous en fournira les plus grands noms.

LA SYRAH

C'est le prince de cette famille royale des cépages rouges. Il est plus puissant et vieillit mieux que le cabernet sauvignon et possède une texture aussi soyeuse que celle d'un grand pinot noir dans sa pleine maturité. Ces caractères se révèlent dans toute leur vérité au nord de la vallée du Rhône qui est le berceau de la syrah, et où des vins rouges majestueux tels que Hermitage, Côte-Rôtie et Cornas, virils et robustes, vivent de longues vies d'exception. Plus au sud, notamment à Châteauneuf-du-Pape, la syrah apporte sa structure et sa classe en se mélangeant au traditionnel grenache. Son raisin, de couleur foncée, mûrit tardivement et pousse bien sur des sols chauds granitiques. S'il est produit

Cépage shyrah, vignoble de Saint-Chinian
(Languedoc)

en trop grandes quantités, il perd ce goût accentué de mûre et de poivre qui fait une grande partie de son charme. Malheureusement, c'est ce qui arrive en Australie où le shiraz (nom local de la syrah) est produit en quantité trop importante par des viticulteurs. Le shiraz reste pourtant le plus grand vin australien lorsqu'il est soigné par les meilleurs producteurs tels que Grange Hermitage et Henschke dans la région de Barossa ou ChâteauTahbilk dans la vallée de Victoria Goulburn : une production contenue et l'âge des vignobles sont ce qui fait sa qualité. En Suisse, dans le Valais, la syrah est intense et fait penser à celle de la vallée du Rhône, tandis qu'elle est délicieusement épicée en Afrique du Sud, chez les meilleurs producteurs de Paarl et de Stellenbosch.

LE CABERNET FRANC

C'est un cépage français traditionnellement implanté dans le Bordelais, notamment à Saint-Émilion et Pomerol. Plus léger que le cabernet sauvignon, il mûrit aussi plus vite et possède des arômes de fruit tendant vers la framboise. Il intervient partout dans les mélanges, lorsque l'on veut faire un vin dans le style du bordeaux classique, et y ajoute son charme particulier. Il est vraiment excellent lorsqu'il entre pour plus de la moitié dans le Château Cheval Blanc, premier grand cru classé de saint-émilion. On trouve le cabernet franc sans mélange dans la vallée de la Loire, à Chinon et à Bourgueil, où il donne des vins rouges parmi les plus agréables de France, délicieux lorsqu'ils sont servis jeunes et légèrement rafraîchis pour accompagner un agneau, et plus aboutis si on les laisse vieillir dix ans pour les servir avec du gibier.

LE MERLOT

C'est, de loin, le cépage le plus répandu dans le Bordelais, où on le trouve dans plus de vignobles que les deux cabernets réunis. Rien d'étonnant à cela, car le raisin mûrit très vite, il est charnu et abondant, et donne en grande quantité un vin riche et velouté. Il pousse bien dans les zones fraîches et atteint son apogée dans les vins riches et denses de Pomerol, particulièrement le Château Pétrus. Son seul défaut est de ne pas supporter les fortes pluies et d'avoir une tendance à pourrir. Dans les vignobles plus chauds du Languedoc-Roussillon, parmi tous les cépages implantés expérimentalement, c'est celui qui s'est le mieux adapté, apportant à la qualité du vin une amélioration spectaculaire.

Cépage merlot au château Gazin,
dans la région de Pomerol

Sur la côte ouest des États-Unis, le manque d'âpreté de ses tanins en a fait un vin très prisé par les gens chics. Les merlots très soignés de Shafer dans la région de Stag's Leaf et ceux de Matanzas Creek dans celle de Sonoma sont de véritables délices.

LE GRENACHE

Parmi les cépages, le grenache occupe le second rang mondial en volume. Il couvre toute l'Espagne et le sud de la France. Le grenache noir ou garnacha apporte son goût épicé et sa solidité au tempranillo, plus raffiné, pour faire le rioja rouge. Il domine dans les grands vins de Châteuneuf-du-Pape et de Gigondas. Il ne craint pas les fortes chaleurs et peut atteindre 14° d'alcool naturel dans des vins rouges aux arômes de prune nuancés de plantes aromatiques. Produits en grande quantité, les grenaches peuvent être lourds et corsés, mais lorsque la production est limitée (comme au Château Rayas et au Domaine Saint-Gayan, dans les Côtes-du-Rhône), les résultats peuvent être spectaculaires. Le grenache noir est de plus en plus utilisé par des producteurs de vin rouge australiens comme Tim Gramp à McLaren Vale et les producteurs catalans du Priorato derrière le Peñedes. Dans le Roussillon, on produit à Banyuls d'extraordinaires vins doux à base de grenache noir qui se marient idéalement au chocolat.

Cépage grenache sur un sol sableux,
dans les Corbières

LE MOURVÈDRE

Avant le phylloxéra, le mourvèdre était le premier des cépages en Provence, et bien qu'il ait été dépassé par le grenache et le cinsault, ce raisin aux petits grains et à la pellicule épaisse fournit toujours sa structure et son caractère au vin de Bandol, le meilleur de Provence, issu des vignobles haut perchés de la côte près de Toulon. Les vins issus du mourvèdre affichent un arôme intense de mûre et des tanins puissants. Pour bien mûrir, ce raisin a besoin d'un été chaud en bord de mer, et Bandol est donc son lieu de prédilection. On l'utilise aussi avec succès pour renforcer le mélange de cépages qui fait le Châteauneuf-du-Pape. Le mourvèdre est bien connu dans tout le Midi, mais aussi en Californie sous le nom de mataro, où un excellent exemple – assorti de saveurs de fruits noirs – en est fourni par les Ridge Vineyards dans les montagnes de Santa Cruz. En Espagne, le mourvèdre est connu sous le nom de monastrell et on l'utilise pour la grosse production ; le résultat est décevant car les vins sont trop forts, alcoolisés et globalement médiocres.

LE TEMPRANILLO

C'est le cépage aristocratique en Espagne. Le raisin à pellicule épaisse mûrit assez vite ; les vins rouges ont une robe foncée, une belle structure et un degré d'alcool raisonnable. C'est donc le cépage idéal pour les

Cépage tempranillo, dans la région de la Rioja Alavesa (Espagne)

vignobles d'altitude de Rioja Alta et d'Alavesa. Il y couvre 70 % de la surface plantée et c'est le meilleur fruit de la région. Le tempranillo s'associe bien au garnacha en Rioja Baja et en Navarre, et c'est le cépage dominant des vins rouges de Ribera del Duero en Castille. Au Portugal, le tempranillo se change en tinto rorez pour devenir l'un des principaux cépages du porto de la vallée du Douro.

LE NEBBIOLO

C'est, sans nul doute, l'un des plus grands cépages, dont sont issus des vins de longue garde, mais il est très attaché à son sol, si bien qu'on l'a très peu vu ailleurs qu'en Italie du nord-ouest, surtout dans le Piémont. L'origine de son nom est le mot italien *nebbia*, ce brouillard qui recouvre en automne le versant des collines de Barolo et Barbaresco, retardant la maturation du raisin. On attend souvent mi-octobre pour vendanger le nebbiolo. Le vin produit est incroyablement robuste, riche en acidité et en tanins, et il lui faut passer quelques années en bouteille pour s'adoucir. La patience est alors récompensée, car un grand barolo ou un grand barbaresco est un fascinant mélange de saveurs où un parfum de rose peut s'associer à une vinosité puissante évoquant le goudron. Une tendance se dessine aujourd'hui à produire, à partir de ce nebbiolo, un vin plus abordable, en le laissant vieillir moins

Cépage nebiolo à Barolo (Italie)

longtemps dans de vieux fûts, sans que la qualité s'en ressente. On retrouve ce cépage à Brescia, où il entre dans la composition du franciacorta, et dans le Val-d'Aoste. Des vignerons californiens ont essayé de l'acclimater, mais sans grand succès.

LE SANGIOVESE

C'est le cépage rouge que l'on trouve en Italie centrale et qui produit des vins dont la qualité est très variable. Comme le pinot noir, il possède plusieurs variantes que l'on peut regrouper en deux catégories : le sangiovese grosso et le sangiovese piccolo. Le premier, en Toscane, donne les meilleurs vins, dont les plus beaux exemples sont les rouges sans mélange, à maturation lente, appelés brunello di montalcino et morellino di scansano, ce dernier étant plus abordable et trop méconnu. Le sangiovese est l'âme du chianti, où il reste dominant lorsqu'il se mélange au canaiolo, un partenaire plus jeune et plus souple. Le sangiovese mûrit tardivement et se plaît sur les sols calcaires de la zone qui sépare Florence et Sienne. Riche en acidité et en tanins, sa robe rubis est élégante et claire, et il lui faut passer quelques années en bouteille pour qu'il dégage son arôme caractéristique d'iris et ses saveurs de cerise et de prune. Son équilibre et sa longueur en bouche en font un vin rouge de classe. À son meilleur niveau, le sangiovese est comme le pinot noir : son charme réside plus dans son élégance que dans sa force. Le cépage a été introduit avec succès en Argentine par des descendants d'Italiens, et en Californie on produit quelques vins prometteurs où s'associent sangiovese et cabernet, à Napa Valley et sur la côte centrale.

LA COULEUR DU VIN ROUGE

Certains auteurs de revues d'œnologie minimisent l'importance de la couleur dans l'appréciation du vin, estimant que c'est un élément qui n'a pas vraiment sa place dans un article sérieux sur la dégustation. C'est pour moi une grosse erreur. Si le premier devoir d'un auteur spécialisé est de faire passer le plaisir du vin, regarder un grand vin rouge dans son verre – qu'il s'agisse d'un zinfandel aux nuances de cerise foncée ou d'un beaune à l'éclat vermillon – est un spectacle enchanteur. D'autre part, dans l'ambiance d'une salle de dégustation, la simple vue d'un vin vous indique si le vin est malade ou en bonne santé.

Columbia, syrah, 1994.

Il importe de fixer son attention sur trois choses : la surface du vin, aussi bien au centre du verre que sur le bord, sa couleur et ses nuances, et enfin sa texture. Aujourd'hui, la plupart des vins rouges ont de l'éclat et un aspect transparent ; si un vin est franchement trouble (à distinguer d'un vin à dépôt naturel), il a forcément un défaut. Un vin rouge change de nuance lorsqu'il vieillit : d'un rouge profond quand il est jeune, il prend une nuance plus pâle en vieillissant pour finir par une teinte brune, « feuille d'érable », sur le tard. Quant à la texture, on la décrit, dans le langage spécialisé, en termes de viscosité. Cette dernière se manifeste clairement par les coulures à l'aspect huileux qui descendent le long des parois intérieures du verre. Ces « larmes » indiquent la teneur en alcool et en glycérol du vin. Elles sont un bon signe si on les observe chez un vin rouge issu d'un robuste cépage poussant dans un climat chaud, tel que le cabernet sauvignon, mais, s'il s'agit d'un bourgogne subtil, elles inciteront à la méfiance en indiquant une main un peu lourde sur le sucre lors de la vinification.

Domaine Drouhin, pinot noir, 1994.

Les photos ci-contre illustrent trois types de vins rouges qui vont du léger et délicat au solide et puissant, et forment un échantillon des principaux cépages à différents stades de maturité.

Château d'Angludet, 1994.

SAVOIR APPRÉCIER LE VIN

LA DÉGUSTATION... COMMENT PROCÉDER ?

Pour toute personne dotée d'un certain sens de l'humour, le rituel de la dégustation du vin est un spectacle plutôt étrange et comique : ces façons de scruter, de renifler, de se gargariser et de cracher peuvent conduire l'observateur, au mieux à étouffer un petit rire, ou, dans le pire des cas, à être franchement intimidé par toute cette cérémonie. Il ne faut pas être rebuté par cette idée de dégustation, car la différence entre boire pour le plaisir et déguster est tout simplement que l'attention est plus forte. Le processus de la dégustation est une suite logique d'étapes qui augmente de beaucoup les moyens d'apprécier le vin.

Commencez votre estimation avec les yeux : regarder le vin vous en dira long sur son état de santé, son caractère possible et son stade de maturité. Débouchez doucement la bouteille sans la secouer, et versez un peu de vin rouge au fond d'un verre tulipe propre, pour que la hauteur atteigne 5 cm environ au-dessus du pied. Prenez ensuite le verre par le pied et inclinez-le à 45° devant un fond blanc – une nappe blanche ou une grande feuille de papier – pour observer l'allure générale et la couleur du vin (voir page ci-contre).

ODORAT ET GOÛT

Le nez est l'organe le plus réceptif parmi ceux que nous utilisons en dégustant le vin, mais l'odorat est si étroitement lié au goût que le palais confirme souvent les sensations éprouvées par le nez. Tenez votre verre par le pied et faites tourner le vin pour qu'il dégage ses arômes. Mettez votre nez dans le verre et prenez plusieurs petites inspirations (plutôt qu'une longue), car le nez se fatigue vite, surtout lorsque l'on doit apprécier plusieurs vins rouges jeunes. Demandez-vous ce qui vous plaît dans ce vin et si vous lui trouvez des arômes nets et fruités, ou âpres et artificiels.

Souvenez-vous qu'au même titre que la couleur l'arôme permet d'identifier la nature d'un cépage et le stade de maturité d'un vin. Les vins jeunes dégagent les arômes primaires de fruits qui sont ceux des cépages dont ils sont issus. On emploie le terme d'arôme pour indiquer ce que l'on détecte au nez dans les vins jeunes, mais on parlera de bouquet pour les vins arrivés à maturité. Ce bouquet peut d'ailleurs couvrir toute une gamme d'arômes secondaires, épicés comme le cèdre, l'encens,

DÉGUSTER LE VIN ROUGE

Inclinez le verre à 45 ° et examinez
la couleur.

Faites tourner le vin, mettez votre nez dans le verre
et prenez plusieurs petites inspirations.

Prenez une bonne gorgée et faites-la tourner dans la
bouche pour bien imprégner les papilles gustatives.

le tabac ou le goudron, ou plus animaux comme le cuir ou la viande, spécialement le gibier.

Nous arrivons ainsi à la dernière phase de la dégustation, le contact du vin avec le palais et sa texture en bouche. Prenez une bonne gorgée en faisant passer l'air sur le vin et faites-le tourner dans votre bouche pour qu'il en atteigne tous les recoins. La langue peut ainsi éprouver les trois sensations principales : le sucré avec le bout de la langue, l'acidité avec les bords et l'amertume avec le fond. Dans le cas des vins blancs, on n'a à prendre en compte que le sucre et l'acidité, alors que déguster des vins rouges est un peu plus complexe, puisqu'ils sont faits aussi avec la pellicule du raisin, ses pépins et parfois ses rafles. Cela produit en bouche un effet différent et des saveurs particulières. Les vins jeunes, surtout quand ils sont issus du cabernet, de la syrah ou du nebbiolo, sont très riches en tanins, ce qui leur donne un goût astringent qui les rend difficiles à boire tout de suite. Lorsqu'ils vieillissent en bouteille, leur taux de tanins diminue. Les bourgognes rouges et d'autres grands vins issus du pinot noir sont tout à fait différents ; ils possèdent, dès qu'ils ont deux ans, une texture délectable et veloutée et une permanence en bouche longue et intense. La « finale » d'un vin rouge, c'est-à-dire le temps durant lequel son goût persiste dans votre bouche après que vous l'avez avalé, est un indice très sûr de sa capacité à devenir un grand vin.

Lors de la dégustation, le verre n'est rempli qu'au tiers de sa capacité.

CONSERVER LE VIN ROUGE

Pour la plupart des lecteurs, l'important est que les choses restent simples. Monter une cave à vins demande quelques ressources, car la majorité d'entre nous vivent dans des appartements équipés du chauffage central ou dans des maisons dépourvues de caves. Si vous avez acheté quelques caisses de bon vin que vous voulez laisser vieillir, un bon caviste indépendant pourra vous les garder dans une pièce climatisée moyennant un petit loyer. Pour ceux qui n'ont que deux ou trois douzaines de bouteilles, les principes sont les suivants :

- Évitez la proximité d'une source de chaleur ;

- Rangez les bouteilles horizontalement dans un endroit aussi calme et sombre que possible ;

- Assurez-vous que l'endroit ne va pas subir d'écarts de température trop importants (évitez la cuisine, le garage et la cabane de jardin).

Pour les collectionneurs ambitieux qui ont besoin de plus de place, une bonne solution consiste à acheter une cave qui peut être installée dans une pièce de la maison. Il y en a de deux types. L'armoire à contrôle thermique électrique, spécialement conçue pour stocker le vin, existe dans toutes les formes et toutes les tailles et peut se brancher partout. Plus élaboré est l'escalier à vis. Les meilleurs sont fabriqués par Eurocave et se composent d'un grand cylindre d'acier comportant un escalier à vis, les casiers de vin s'encastrant dans des alvéoles ménagées dans le corps du cylindre et entre les marches. Il faut bien sûr percer un large trou pour installer l'appareil. Un célèbre écrivain français en a installé un dans le plancher de la salle de bains de son appartement parisien.

SERVIR LE VIN ROUGE

Les vins rouges sont généralement servis trop chauds. Dans l'idéal, ils devraient être servis à une température un peu plus fraîche (16 °C à 17 °C) que celle d'un appartement correctement chauffé. Ne mettez jamais une bouteille de bon vin rouge sur un radiateur, ce serait un désastre. Les rouges légers, jeunes et fruités comme le beaujolais, le chinon ou le bardolino, peuvent être délicieux si on les sert légèrement rafraîchis pour accompagner un repas estival.

Les vins rouges jeunes, riches en tanins et en acidité, gagnent à être débouchés une demi-heure avant d'être servis, et se bonifient encore si on les verse dans une carafe, ce qui les adoucit. S'il s'agit d'un vin vieux et respectable à boire rapidement, il faut être prudent et ne pas le faire « respirer » plus de cinq minutes, le temps de le débarrasser de toute odeur de bouteille. Il faut se souvenir qu'un vin vieux est fragile, et qu'une aération exagérée peut lui faire perdre son subtil bouquet.

Cela nous amène au sujet épineux de la décantation. Les décanteurs constituent, certes, un très beau spectacle, surtout lorsqu'ils sont de la taille d'un magnum, et tout bon détaillant de vins fins devrait en avoir un assortiment. Faire décanter un jeune vin rouge permet d'arrondir ses bords un peu vifs, mais l'opération n'est vraiment nécessaire que quand le vin présente un dépôt important, comme c'est le cas avec certains portos.

VIN ROUGE ET SANTÉ

*D*ès 1980, une enquête publiée par l'*American Journal of Medicine* étudiait les relations entre les trois grandes causes de mortalité – cancer, maladies cardiovasculaires et attaques cérébrales – et la consommation d'alcool. Cette enquête et celles qui l'ont suivie ont clairement établi que l'alcool a un effet préventif dans les maladies cardio-vasculaires, car il accroît le taux de « bon » cholestérol dans le sang et réduit du même coup la fréquence des crises cardiaques. La consommation du vin reçut un autre coup de pouce lorsqu'en 1990, Serge Renaud, nutritionniste lyonnais, découvrit que le taux de « mauvais » cholestérol contenu dans le sang et provenant des graisses animales, pouvait être réduit grâce aux tanins, notamment ceux du vin rouge qui en est bien pourvu.

Aux États-Unis, une émission de *Sixty Minutes* en première partie de programme donna le premier écho médiatique aux découvertes du Dr Renaud, avec, pour résultat, un bond impressionnant de la consommation de vin rouge dans le pays. Comme l'écrit l'auteur anglais Stuart Walton : « Les laboratoires pharmaceutiques perdraient gros si nous décidions tous qu'on peut faire aussi bien pour notre cœur… en prenant une demi-bouteille de vin rouge par jour. »

Pour ma part, je n'ai jamais osé décanter un bon bourgogne rouge, craignant de perdre bouquet et saveur dans cette opération. Si vous tenez vraiment à décanter, redressez la bouteille 24 h à l'avance pour laisser au dépôt le temps de descendre au fond. Débouchez le vin et versez-le dans le décanteur lentement et régulièrement, en regardant bien le goulot de la bouteille. Dès qu'y apparaissent les premières traces de dépôt, arrêtez de verser. Si le travail est bien fait, vous serez étonné de voir le peu de vin perdu. Ne vous encombrez pas du dépôt : jetez-le. Ainsi, vous ne serez pas tenté de l'utiliser pour un jus ou une sauce. N'utilisez jamais de filtres à café en papier, car ils peuvent détériorer sévèrement le goût de votre vin.

LES VERRES

En règle générale, les verres à vin rouge doivent être simples, sans décor et en forme de tulipe. Le designer autrichien Georg Riedel a réalisé une étude pour trouver leur forme optimale. On peut dire que ses verres Sommelier sont ce qui se fait de mieux dans ce domaine, en particulier les modèles bordeaux et bourgogne, aux dimensions généreuses.

Les verres de forme tulipe sont parfaits pour la dégustation des syrah, bourgogne, bordeaux et barillo (de gauche à droite).

DEUXIÈME PARTIE

Guide du
VIN ROUGE

Guide du VIN ROUGE

LES CLASSIQUES

CASTELL'IN VILLA

Agenzia Agricola Castell'in Villa,
53033 Castelnuovo Berargenga (Sienne) Italie
Tél. : 0039 05 77 35 90 74 Fax : 0039 05 77 35 92 22
Visites : sur rendez-vous

*S*ur les collines à l'est de Sienne, les vins de Castell'in Villa ressemblent à s'y méprendre à celle qui les fait. Coralia Pignatelli est une veuve dure au labeur, d'un charme fou et d'une redoutable force de caractère. Grecque d'origine, elle a passé une bonne partie de sa jeunesse en Suisse où elle a rencontré et épousé le prince Riccardo Pignatelli della Leonessa, un diplomate italien appartenant à la noblesse romaine. Lorsque le couple se mit en quête d'un lieu adapté aux exigences de la vie diplomatique, ils acquérirent Castell'in Villa en 1968. Il est probable que ce choix fut influencé par la vue sur la campagne toscane environnante et les tours de Sienne.

FICHE D'IDENTITÉ

PROPRIÉTAIRE : princesse Coralia Ghertsos Pignatella della Leonessa
VINIFICATEUR : princesse Pignatelli
SUPERFICIE DU VIGNOBLE : 54,7 ha
PRODUCTION ANNUELLE : 30 000 caisses
CÉPAGES : sangiovese, cabernet sauvignon (pour le Santa Croce)
ÂGE MOYEN DES VIGNES : 30 ans
POURCENTAGE DE BOIS NEUF : plus de 50 %
MEILLEURS DERNIERS MILLÉSIMES : 1995, 1993, 1990, 1988
MEILLEURS ACCORDS VINS ET METS : agneau rôti, gibier
RESTAURANT LOCAL : celui du domaine

En l'espace de 30 ans, le domaine de la princesse Pignatelli est devenu l'un des « grands » de Toscane, et ses chiantis suscitent l'admiration pour leur personnalité raffinée que vient soutenir un goût profond et bien structuré. Le cépage sangiovese, installé sur les sols un peu plus chauds de la partie sud du chianti classico, s'y exprime à merveille. Le domaine excelle à produire des vins élégants, même dans les années difficiles comme 1972, 1987 et 1989, tandis que dans les bonnes années (1990 et 1995 en particulier), ses « réserve » figurent presque toujours parmi les quatre ou cinq meilleurs vins de l'année.

La princesse fait aussi le très imposant Santa Croce, prestigieux vin rouge *da tavola* issu du sangiovese pour une bonne part, associé au cabernet sauvignon, sur son vignoble idéalement situé de Balsastrada, non loin du château. C'est l'un des plus grands vins rouges au monde, le comble de la puissance et de l'élégance. Et comme si cela ne suffisait pas, elle vient de produire l'une des meilleures huiles d'olive de Toscane. On peut profiter de toutes ces délices dans le restaurant du domaine, au milieu d'oliviers qui doivent rappeler à cette femme extraordinaire sa Grèce bien-aimée.

DÉGUSTATION

SANTA CROCE 1988

Robe étonnamment jeune pour un vin de 10 ans, aux nuances chatoyantes de rubis ; des tannins d'une belle puissance et une saveur profonde ne réduisent en rien sa finesse remarquable. Peut être gardé au moins 25 ans en se développant. Il domine largement certains grands crus de Saint-Émilion bien plus chers. C'est le nec plus ultra. Dernière dégustation : novembre 1997.

Note ★★★★★

CHÂTEAU CHEVAL BLANC

33330 Saint-Émilion
Tél. : 05 57 55 55 55 Fax : 05 57 55 55 50
Visites : sur rendez-vous

*L*ongtemps considéré comme l'un des huit plus grands crus de Bordeaux, le Château Cheval Blanc est (surtout les grandes années) un vin incomparable à la matière somptueuse et à la saveur puissante, mais délicate. Sa personnalité unique lui vient de l'excellente qualité de son sol, situé à la limite de l'appellation Pomerol, et d'un mélange original de cépages.

Le sol est très complexe. Par endroits, il est composé de sable et de graviers s'appuyant

FICHE D'IDENTITÉ

PROPRIÉTAIRE : Société civile du Cheval Blanc (famille Fourcas-Laussac)

VINIFICATEUR : Kees Van Leeuwen

SUPERFICIE DU VIGNOBLE : 36,4 ha

DEUXIÈME ÉTIQUETTE : Petit Cheval

PRODUCTION ANNUELLE : 10 000 caisses (grand vin) ; 3 000 caisses (Petit Cheval)

CÉPAGE : cabernet franc (57 %), merlot (41 %), cabernet sauvignon (1 %) et malbec (1 %)

ÂGE MOYEN DES VIGNES : 35 ans

POURCENTAGE DE BOIS NEUF : 100 % (grand vin) ; 50 % (Petit Cheval)

MEILLEURS DERNIERS MILLÉSIMES : 1995, 1994, 1990, 1988

MEILLEURS ACCORDS VINS ET METS : médaillons de cerf, faisan, veau en croûte

RESTAURANTS LOCAUX : Francis Gaulle, Plaisance, Le Tertre à Saint-Émilion

tous deux sur un sous-sol argileux ; ailleurs, on trouve aussi une couche profonde faite de graviers. On peut oublier la géologie, mais il est sûr que la conjonction de ces sols différents détermine la qualité du raisin qui y pousse.

L'argile, par exemple, régule l'apport en eau aux racines de la vigne, tandis que les graviers et le sable créent un microclimat qui en accélère la maturation. Ajoutons que les pluies d'automne, fréquentes dans ce climat atlantique, sont moins gênantes ici que dans le reste du Bordelais.

Pour profiter de l'avantage que lui procure un sol unique, le domaine produit une forte proportion (57 %) de cabernet franc, cet élégant cépage qui donne au Cheval Blanc sa saveur inimitable.

La production est volontairement limitée. Les tannins puissants du cabernet franc s'allient à merveille à la douceur savoureuse du merlot (41 %). Après la vendange, dans les cuves, le vin repose sur son marc pendant trois semaines en moyenne. Le « grand vin » vieillit 18 mois environ en fûts de chêne neuf à 100 %, tandis que le Petit Cheval se contente d'un an en fûts de bois neuf à 50 %. Le « grand vin » n'est pas filtré.

Ce compte rendu détaillé des méthodes viticoles du domaine et de son type de vinification nous permet de nous faire une

> ## DÉGUSTATION
>
> ## CHÂTEAU CHEVAL BLANC 1995
>
> Robe rubis sombre aux nuances mauves, arômes somptueux typiques du Cheval Blanc, fruits noirs (cerise et cassis). Attaque en bouche mûre et épicée. Bouche très dense et finale aux tannins tout en douceur. Spectaculaire, aussi puissant par son charme que par sa structure.
>
> Note ★★★★★

Dans les chais du château

Château Cheval Blanc, bordeaux situé près de Saint-Émilion

idée du perfectionnisme qui anime l'équipe conduite par Pierre Lurton et Kees Van Leeuwen. Aujourd'hui, on a la confirmation qu'il s'agit bien d'un premier grand cru classé, après les superbes millésimes 1995 et 1990, dignes successeurs du grand 1985, du très grand 1982 et du légendaire 1947.

CHÂTEAU COS D'ESTOURNEL

33180 Saint-Estèphe
Tél. : 05 56 73 15 30 Fax : 05 56 59 72 59
Visites: sur rendez-vous

*C*os d'Estournel occupe l'endroit rêvé pour faire un grand vin rouge. Séparée du Château Lafite par un petit ruisseau que l'on traverse en allant de Pauillac à Saint-Estèphe, la colline de Cos domine l'estuaire de la Gironde d'une vingtaine de mètres. Les cailloux et les graviers de ses pentes ont donné son nom à la colline (en vieux gascon, cos – prononcez coss – veut dire « colline aux cailloux »).

La perméabilité du sol et son drainage parfait empêchent l'eau de rester sur la colline et obligent la vigne à pousser ses

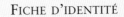

FICHE D'IDENTITÉ

PROPRIÉTAIRE : Société des Domaines Prats

VINIFICATEUR : Bruno Prats

SUPERFICIE DU VIGNOBLE : 65,8 ha

DEUXIÈME ÉTIQUETTE : Les Pagodes de Cos

PRODUCTION ANNUELLE : 30 000 caisses

CÉPAGES : cabernet sauvignon (60 %), merlot (38 %), cabernet franc (2 %)

ÂGE MOYEN DES VIGNES : 40 ans

POURCENTAGE DE BOIS NEUF : entre 40 et 80 %

MEILLEURS DERNIERS MILLÉSIMES : 1996, 1990, 1989, 1986, 1985, 1982

MEILLEUR PLACEMENT : 1994

MEILLEURS ACCORDS VINS ET METS : perdix, oie de Guinée

RESTAURANT LOCAL : Château Cordeillan-Bages à Pauillac

racines en profondeur. Le flux de la sève s'en trouve ralenti, se concentre davantage et donne au raisin un goût particulier.

C'est Louis-Gaspard d'Estournel qui créa, à partir de 1810, le grand cru que nous connaissons. En homme imaginatif et visionnaire, il saisit très vite à quel point le site de Cos était propice à la vigne et décida d'acheter toute la colline. Célibataire endurci, il ne vécut que pour le vin, sillonnant sans cesse les mers du globe pour prêcher la bonne parole et finissant même par construire un marché en Inde.

Louis-Gaspard s'aperçut que son vin s'améliorait au cours de ses longues traversées, et il en marqua une partie de la lettre « R » pour signifier « Retour des Indes ». C'est celui qu'il offrait à ses hôtes de marque qui le surnommaient « Maharajah de Saint-Estèphe ». Ce titre dut lui monter à la tête, car en 1830, en souvenir de ses voyages en Asie, il se fit construire un étonnant palais dans le style oriental pour y installer ses caves. La pagode de Cos constitue un point de repère frappant dans le Médoc, et un lieu de pèlerinage pour les amoureux du bordeaux.

Depuis le milieu du XIXe siècle, la liste des clients célèbres est longue. En 1857, Friedrich Engels envoie six bouteilles de Cos d'Estournel à Karl Marx avec un billet ainsi libellé : « Cela fera du bien à ton épouse. » Premier exemple de la tendance radical chic ?

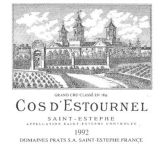

Depuis 1970, Bruno Prats, dont la famille possède le domaine, est responsable du vin. Diplômé en agronomie et en œnologie, Bruno est le type même du producteur moderne et ressemble plus à un physicien sympathique qu'à un vigneron. Il a sans aucun doute porté le château au premier rang des domaines bordelais. Il sait jouer de ses compétences techniques dans le respect de ce terroir remarquable qui constitue son vignoble, et à Cos, ce n'est pas chose facile.

> **DÉGUSTATION**
> **CHÂTEAU COS**
> **D'ESTOURNEL**
> **1990**
> Magnifique robe rubis sombre sans trace de vieillissement ; nez sensuel de fruits rouges mûrs avec une touche de chêne fumé ; bouche superbe, très savoureuse et de structure classique, à la matière veloutée. Très longue persistance laissant augurer une durée exceptionnelle. L'un des plus grands des années 1990.
>
> Note ★★★★★

Sur la fine couche de gravier qui couvre le sommet de la colline et son versant méridional, le cabernet sauvignon (60 % du vignoble) est en terrain de prédilection, tandis que le merlot (un peu moins de 40 %) préfère le sol calcaire du versant oriental.

Ce pourcentage assez élevé de merlot donne au vin souplesse et rondeur, mais cette première impression est trompeuse, car la nature véritable du Cos d'Estournel est celle d'un bordeaux solide et puissant, très apte au vieillissement. Sa personnalité vient aussi du fait que la vendange est plutôt tardive, sa date étant fixée en fonction de chaque parcelle.

Le résultat, c'est un vin accompli, aux tannins moelleux, dont le goût excellent perdure d'un bout à l'autre de sa très longue vie. Depuis 1982, Cos d'Estournel a produit une série de vins magnifiques aussi bons, dans certains cas, que des premiers crus. Le millésime 1990 est un vrai classique, particulièrement séduisant.

Le symbole qui orne certaines bouteilles de Cos d'Estournel rappelle la passion que portait à l'Inde Louis-Gaspard d'Estournel.

Château de Beaucastel

84350 Courthézon
Tél.: 04 90 70 41 00 Fax: 04 90 70 41 19
Visites : sur rendez-vous

*S*ans conteste le domaine phare sur l'aire du châteauneuf, Château de Beaucastel produit des vins dont la longévité, la subtilité et le raffinement surpassent les qualités des autres étiquettes de même appellation. La propriété porte le nom du huguenot Pierre de Beaucastel et se consacre à la viticulture depuis les années 1830. Aujourd'hui, les frères François et Jean-Pierre Perrin tiennent les rênes du domaine avec une exigence

Fiche d'identité

PROPRIÉTAIRE: François et Jean-Pierre Perrin

VINIFICATEUR: François Perrin

SUPERFICIE DU VIGNOBLE: 70,9 ha (Châteauneuf-du-Pape) ; 35,4 ha (Côtes-du-Rhône)

PRODUCTION ANNUELLE: 25 000 caisses (vin rouge)

CÉPAGES: grenache (30 %), mourvèdre (30 %), syrah (10 %), cinsault (5 %), 25 % restants se composant de cépages moins importants, comme la counoise

ÂGE MOYEN DES VIGNES: 50 ans

POURCENTAGE DE BOIS NEUF: 0 % (pour les vins rouges)

MEILLEURS DERNIERS MILLÉSIMES: 1995, 1990, 1989, 1988, 1983, 1981, 1978

MEILLEURS ACCORDS VINS ET METS: Filet de bœuf aux champignons, salmi de faisan

RESTAURANT LOCAL: La Beaurivière, Mondragon

perfectionniste. Le vignoble, situé dans l'est de la zone d'appellation, près de Courthézon, est planté des 13 cépages autorisés pour élaborer le châteauneuf. Beaucastel ne produit que 30 % de grenache, soit une

proportion inférieure de moitié à celle des autres châteauneufs, pour répondre au souci des Perrin d'élaborer un vin structuré, mais pas trop alcoolisé. Suivant les méthodes biologiques préconisées par Rudolf Steiner, les vignes sont cultivées sans pesticides ni herbicides. François Perrin, le vinificateur, applique une technique élaborée par son père, la vinification à chaud. Elle consiste à chauffer les raisins à la vapeur (72 °C) pendant une minute et demie : ce procédé permet d'éliminer les bactéries, d'extraire les matières colorantes, et supprime l'utilisation de l'anhydride sulfureux et des levures. La cuvaison dure jusqu'à 21 jours, au cours desquels les pellicules sont régulièrement enfoncées dans le moût, une idée empruntée à l'hermitage de Mauves élevé par Gérard Chave. François Perrin préfère au bois neuf de vieux foudres de chêne

Conservation des vieux millésimes
au Château de Beaucastel

Le vin vieillit en fûts de vieux chêne jusqu'à 14 mois.

où les rouges vieillissent de 6 à 14 mois, suivant les millésimes. Une fois mis en bouteilles, les vins sont conservés au moins un an, pour aborder le marché au mieux de leur forme.

Beaucastel est l'un des plus grands vins rouges de France, il est donc difficile de décrire avec précision ses caractéristiques complexes. Les vins jeunes dégagent des premiers arômes de baies sauvages, mais laissent présager des saveurs plus variées. 6 ou 7 ans plus tard, le bouquet s'est considérablement enrichi, ajoutant aux notes fruitées des connotations épicées. Les vins vieillissent magnifiquement, en particulier les millésimes 1978 et 1981 qui devraient procurer de grands plaisirs de dégustation dans les premières années du XXIe siècle. Les Perrin produisent également un côtes-du-rhône, le Coudoulet-de-Beaucastel, qui présente une élégance et une personnalité inspirées de celles du châteauneuf. À consommer plus jeune, il est aussi beaucoup moins cher.

> ## DÉGUSTATION
>
> ### CHÂTEAU DE BEAUCASTEL, CHÂTEAUNEUF-DU-PAPE 1994
>
> Robe d'un rouge entre moyen et foncé. Nez totalement fermé 10 min après débouchage, 6 h plus tard éclosion d'arômes de framboises, mais toujours concentré. En bouche structure, élégance, pointes d'herbes provençales. À demi développé, fort potentiel. À boire après 2001. Dégustation novembre 1997.
>
> Note ★★★★

DOMAINE DE CHEVALIER

33850 Léognan
Tél. : 05 56 64 16 16 Fax : 05 56 64 18 18
Visites : seulement les jours ouvrables, sur rendez-vous

*L*a situation géographique donne peu d'indices pour comprendre l'excellence de la production. La demeure, charmante, mais relativement modeste, est bâtie au milieu d'un bois de pins, dans le sud-ouest de l'appellation Léognan. Seule la nouvelle cuverie cylindrique, où s'alignent de rutilantes cuves de fermentation en acier inoxydable, laisse imaginer les investissements opérés par la famille Bernard dans sa propriété, rachetée en 1983 à Claude Ricard.

Tout au long du XXe siècle, Chevalier a produit en petites quantités des rouges et

FICHE D'IDENTITÉ

PROPRIÉTAIRE : Olivier Bernard
VINIFICATEURS : Thomas Stonestreet et Rémi Edange
SUPERFICIE DU VIGNOBLE : 30 ha
PRODUCTION ANNUELLE : 7 000 caisses (vin rouge)
CÉPAGES : cabernet sauvignon (65 %), merlot (30 %), cabernet franc (5 %)
ÂGE MOYEN DES VIGNES : 25 ans
POURCENTAGE DE BOIS NEUF : 50 %
MEILLEUR DERNIER MILLÉSIME : 1996
MEILLEURS ACCORDS VINS ET METS : gigot d'agneau, viande grillée, gibier
RESTAURANT LOCAL : Le Saint-James à Boullac

des blancs exceptionnels, parmi les meilleurs crus de graves (aujourd'hui sous l'appellation Pessac-Léognan). Finesse et structure s'allient dans les rouges, qui fermentent à une température plus élevée que la normale (32 °C). Ce choix tend non à faire passer un maximum de tannins dans les moûts, mais à donner au vin son aspect souple et velouté, gras.

Le bombage, autre particularité de la vinification proche du pigeage bourguignon, consiste à presser et enfoncer les pellicules dans les moûts

avec un manche en bois, afin d'en extraire les matières colorantes et d'obtenir des vins plus harmonieux. Le vieillissement dure de 14 à 24 mois, dans des barriques de chêne, la proportion de bois neuf variant de 40 à 70 % suivant les années.

Selon les vinificateurs du domaine, Thomas Stonestreet et Rémi Edange, « les rouges de Chevalier présentent des tannins ronds, fins et liés, caractéristiques des crus

Olivier Bernard, propriétaire du Domaine de Chevalier

Vignes du Domaine de Chevalier

d'une grande élégance et distinction ; plus délicats que puissants, les arômes sont ceux des fruits rouges, de la réglisse et des épices ».

Les millésimes 1986 et 1988 sont particulièrement aptes à la garde. Olivier Bernard pense que la vendange 1996 devrait donner le meilleur vin qu'il ait jamais élevé depuis son arrivée au domaine.

DÉGUSTATION

DOMAINE DE CHEVALIER 1996

Robe de rubis profond ; nez dominant de cabernet, aux arômes de cassis et de framboises ; bouche d'une profondeur impressionnante ; structure concentrée typique du Chevalier. Un grand classique, à boire à partir de 2006.
Note ★★★★★

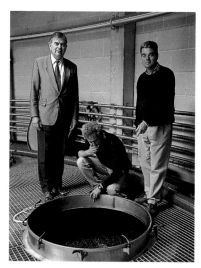

Thomas Stonestreet (accroupi),
œnologue du Domaine de Chevalier

DOMAINE DE
LA ROMANÉE-CONTI

SC du Domaine de la Romanée-Conti,
21700 Vosne-Romanée
Tél. : 03 80 61 04 57
Visites : sur rendez-vous

*C*e domaine, parmi les plus célèbres de France, identifié par les connaisseurs comme le DRC, est la plus importante propriété de la Côte d'or. Ses 27,3 hectares de vignes, qui produisent des vins d'une richesse et d'une complexité hors du commun, sont situés sur les meilleures terres de Vosne-Romanée, des Echézeaux, sans oublier une parcelle sur le Montrachet, ce qui en fait la propriété viti-

FICHE D'IDENTITÉ

PROPRIÉTAIRE : Société civile de la Romanée-Conti

VINIFICATEURS : Aubert de Villaine et Henry-Frédéric Roche

SUPERFICIE DU VIGNOBLE : 27,3 ha

PRODUCTION ANNUELLE : 7 000 caisses

CÉPAGES : pinot noir et chardonnay (ce dernier seulement sur Montrachet)

ÂGE MOYEN DES VIGNES : 47 ans

POURCENTAGE DE BOIS NEUF : 100 %

MEILLEURS DERNIERS MILLÉSIMES : 1995, 1993, 1990, 1988, 1985

MEILLEUR INVESTISSEMENT : 1992

MEILLEURS ACCORDS VINS ET METS : agneau et cochon de lait, bécasse, coq de bruyère

RESTAURANT LOCAL : La Côte d'Or à Saulieu

cole la plus chère de toute la Bourgogne. Le vignoble couvre bien sûr l'intégralité des fameux crus romanée-conti et la tâche (tous deux en monopole), mais aussi la moitié du richebourg, plus de la moitié du romanée-saint-vivant, et le tiers du grands-echézeaux.

Le prestige attaché à cette maison l'engage à respecter les normes les plus sévères pour la culture de la vigne comme pour la vinification, sous la direction d'Aubert de Villaine et de Henry-Frédéric Roche. Pesticides et autres traitements chimiques sont évités.

Le domaine a été l'un des premiers à introduire l'utilisation du tapis roulant pour trier les raisins imparfaits au cours de la vendange. Les quatre grands crus sont fermentés traditionnellement dans des fûts sans couvercle, tandis que le grands-echézeaux et l'echézeaux sont vinifiés dans des cuves d'acier inoxydable ouvertes, où les raisins sont remués de façon

> ## DÉGUSTATION
> ### LA TÂCHE
> ### 1991
>
> Couleur rouge clair, brillant, nuancé ; les arômes latents, complexes, vont tendre vers les nuances éthérées avec le temps ; équilibre parfait entre puissance et finesse, tannins mûrs. Exceptionnel. À boire à partir de 2001.
>
> Note ★★★★★

Vieux millésimes de Romanée-Conti... très rares

MONOPOLE
· 1994 ·

SOCIÉTÉ CIVILE DU DOMAINE DE LA ROMANÉE-CONTI
PROPRIÉTAIRE A VOSNE-ROMANÉE (COTE-D'OR) FRANCE

ROMANÉE-CONTI
APPELLATION ROMANÉE-CONTI CONTROLÉE
4.210 Bouteilles Récoltées
BOUTEILLE N° 00000   LES ASSOCIÉS-GÉRANTS
ANNÉE 1994
Mise en bouteille au domaine

MONOPOLE
· 1994 ·

SOCIÉTÉ CIVILE DU DOMAINE DE LA ROMANÉE-CONTI
PROPRIÉTAIRE A VOSNE-ROMANÉE (COTE-D'OR) FRANCE

LA TÂCHE
APPELLATION LA TÂCHE CONTROLÉE
18.705 Bouteilles Récoltées
BOUTEILLE N° 00000   LES ASSOCIÉS-GÉRANTS
ANNÉE 1994
Mise en bouteille au domaine

automatique. Les vins du domaine sont vieillis en tonneaux de bois neuf, mais toutes les précautions sont prises pour vérifier que les douves sont d'excellente qualité.

Il est peu de spécialistes aujourd'hui pour contester que les vins du domaine de la Romanée-Conti sont les meilleurs parmi les meilleurs. Leur grande finesse et leur intensité s'allient à une extraordinaire longueur en bouche, qui perdure plusieurs minutes après que vous avez reposé votre verre.

Parmi tous les crus, la tâche a ma préférence, je ne suis pas le seul. Son bouquet envoûtant et son extrême raffinement nourrissent sa structure durable en bouche. C'est sans conteste le numéro un des bourgognes rouges, aussi satisfaisant les années moyennes (1991 et 1987 par exemple) que les grandes années (1993, 1990, 1988, 1962, 1959).

Vendanges à la Romanée-Conti

DOMAINE DE THALABERT, CROZES-HERMITAGE

041 Paul Jaboulet Aîné,
26660 La Roche-de-Glun
Tél. : 04 75 84 68 93 Fax : 04 75 84 56 14
Visites : de 9 h à 11 h et de 14 h à 17 h

*L*a maison Paul Jaboulet Aîné, fondée en 1834, fut pendant des décennies une des plus influentes et des plus réputées de la vallée du Rhône. Vers le milieu des années 1980, le domaine Jaboulet s'est vu ravir sa première place par la Société Guigal, autre propriétaire-négociant. Et les hermitages produits par de nouveaux talents, comme Gérard et Jean-Louis Chave ou Bernard Faurie, sont aujourd'hui plus recherchés que le La Chapelle de PJA (mis à part le millésime 1990, superbe).

Dans son jeu, la maison Jaboulet possède pourtant un atout, les quarante hectares

FICHE D'IDENTITÉ

PROPRIÉTAIRE : famille Jaboulet
VINIFICATEUR : Philippe Jaboulet
SUPERFICIE DU VIGNOBLE : 40 ha
PRODUCTION ANNUELLE : 15 000 caisses
CÉPAGE : syrah
ÂGE MOYEN DES VIGNES : entre 15 et 20 ans
POURCENTAGE DE BOIS NEUF : de 10 à 35 %
MEILLEURS DERNIERS MILLÉSIMES : 1995, 1994, 1991, 1990, 1988
MEILLEURS ACCORDS VINS ET METS : viande rouge et gibier

constituant le domaine de Thalabert sur la zone d'appellation Crozes-Hermitage qui, d'après la formule de John Livingstone-Learmonth, produit « de grands vins à de tout petits prix ». Depuis 25 ans, ce cru extraordinaire, qui exprime toutes les caractéristiques fruitées et épicées de la syrah, est resté

absolument digne de confiance, que ce soit dans les millésimes puissants (1983, 1988, 1990, 1995) ou plus légers (1987, 1991).

Le domaine de Thalabert est situé au lieu dit Les Châssis, sur une plaine pierreuse d'origine glaciaire. La vinification est classique. Le temps de cuvaison, assez long, est suivi d'un vieillissement de 12 à 16 mois en pièces de chêne. De manière générale, les Domaine de Thalabert doivent être consommés au bout de cinq à sept ans de bouteille.

La chapelle
du Domaine de Thalabert

Maison Joseph Drouhin

7, rue d'Enfer, 21200 Beaune
Tél. : 03 80 24 68 88 Fax : 03 80 22 43 14
Visites : sur rendez-vous

Dans les années 1960, lorsque je me formais au commerce des vins à Beaune, il n'était pas facile de démêler l'écheveau des appellations bourgognes ; la législation sur les appellations d'origine contrôlée n'était pas aussi strictement appliquée qu'aujourd'hui, et toutes sortes de produits arrivant du sud de la France ou d'Europe méridionale trouvaient leur chemin vers des bouteilles étiquetées Nuits-Saint-Georges ou Gevrey-Chambertin. En quête d'un vrai bourgogne, la maison Drouhin était l'une des rares sociétés de négociants auxquelles il était alors possible de faire confiance. Robert Drouhin, à la tête de la

FICHE D'IDENTITÉ

PROPRIÉTAIRE : Snowhill Farms (Japon)
VINIFICATEURS : Laurence Jobard et Véronique Boss-Drouhin
PRODUCTION ANNUELLE : 100 000 caisses
ÂGE MOYEN DES VIGNES : 32 ans (Clos des Mouches)
CÉPAGE : pinot noir (vin rouge)
POURCENTAGE DE BOIS NEUF : information non disponible
MEILLEURS DERNIERS MILLÉSIMES : 1996, 1995, 1993, 1990
MEILLEURS ACCORDS VINS ET METS : gibier, agneau de lait
RESTAURANT LOCAL : La Côte d'Or à Saulieu

maison depuis 1957, a toujours défendu la supériorité et l'authenticité des vins de sa région. En dehors de la fondation d'un Domaine Drouhin en Oregon en 1988, la maison n'a jamais commercialisé que des vins de Bourgogne.

Plus connue pour ses vins blancs, la maison Drouhin possède un vignoble de 37,4 hectares dans le Chablis, dont une proportion importante classée en grand et premier crus blancs. Pourtant son titre de gloire me semble résider dans les rouges, en particulier avec le Beaune Clos des Mouches, signature de la société qui en possède le monopole,

> ## DÉGUSTATION
> ## BEAUNE CLOS DES MOUCHES 1995
> Couleur rubis ; odeurs de fruits, d'une complexité étonnante, surtout de cerise, épicée d'une pointe de chêne fumé ; arômes équilibrés de menthe fraîche qui céderont la place à d'autres saveurs avec l'âge. À boire à partir de 2000.
> Note ★★★★★

un beaune dans lequel la pureté du pinot noir, l'influence marquée du terroir et une utilisation savamment dosée du chêne se combinent pour produire un bourgogne rouge classique de haut rang. Depuis 1960, Robert Drouhin s'est par ailleurs efforcé de développer son enseigne sur les Côtes de Nuits, où il a acquis des terres de grande qualité dans les crus de Chambertin, Clos de Bèze, Bonnes Mares, Musigny, Clos de Vougeot et plusieurs autres.

Des méthodes traditionnelles affinées par les techniques modernes caractérisent la culture et la vinification selon Drouhin.

La maison possède sa propre pépinière de plants, les raisins sont récoltés à la main et les vins vinifiés et vieillis dans des barriques en bois, bien que le chêne neuf soit épargné. « Nous sommes des vignerons, pas des charpentiers » disent les Drouhin.

Les enfants de Robert tiennent une part active dans l'entreprise familiale. Frédéric assiste son père dans l'équipe de direction, Philippe surveille les propriétés de la Côte d'or, Véronique, œnologue, vinifie le Domaine Drouhin de l'Oregon, enfin Laurent est directeur commercial. Soutenu par tant d'enthousiasmes conjugués, l'avenir de la maison Drouhin s'annonce brillant, tant que les actionnaires japonais majoritaires de leur société les laissent libres de continuer à produire un authentique bourgogne.

Caves du XIIIe siècle,
à Beaune

PIERRE-JACQUES DRUET

Le Pied-Fourrier, 7, rue de la Croix-Rouge,
Benais, 37140 Bourgueil
Tél. : 02 47 97 37 34 Fax : 02 47 97 46 40
Visites : sur rendez-vous

*P*arti de rien en 1980, Pierre-Jacques Druet est devenu le producteur de bourgueil le plus respecté et l'inventeur du meilleur rouge de Loire de ces vingt dernières années. Fils d'un détaillant en vins de la commune de Montrichard, le jeune Pierre-Jacques voulait devenir vigneron : il fit ses classes au lycée viticole de Beaune, pour terminer ses études à Montpellier et Bordeaux où il obtint ses galons d'œnologue. Après plusieurs emplois bien rétribués dans le commerce ou la gestion, il se constitue un pécule et cherche une propriété à acheter. D'un tempérament

FICHE D'IDENTITÉ

PROPRIÉTAIRE ET VINIFICATEUR :
Pierre-Jacques Druet
SUPERFICIE DU VIGNOBLE : 22,3 ha
PRODUCTION ANNUELLE : 8 000
caisses
CÉPAGE : cabernet franc
ÂGE MOYEN DES VIGNES : 50 ans
(certaines dépassent les 95 ans)
POURCENTAGE DE BOIS NEUF : 10 %
MEILLEURS DERNIERS MILLÉSIMES :
1996, 1995, 1993, 1990, 1989
MEILLEURS ACCORDS VINS ET METS :
cuisine française pour les rouges,
asiatique pour les rosés
RESTAURANTS LOCAUX : Jean Bardet
à Tours, Jacky Dallais au Petit-
Pressigny

patient mais déterminé, il refuse des offres en Provence, en Bourgogne et dans le Bordelais. Tout à fait par hasard, au cours d'une visite qu'il effectue dans sa région natale, il avise de vieilles vignes à Benais, près de Bourgueil. Il se précipite au village pour savoir à qui elles appartiennent et apprend avec bonheur que leur propriétaire, une dame âgée, souhaite louer ses terres ainsi que la cave décrépite qui leur est adjointe. Pierre-Jacques se décide immédiatement, convaincu qu'il peut y faire un excellent rouge. Dès son premier millésime, il remporte plusieurs médailles d'or, ce qui ne lui vaut pas l'affection de ses concitoyens de Benais. Mais en aimable Tourangeau qu'il est, il a su se faire aimer peu à peu, en raison de son caractère charmeur et surtout de son empressement à venir en aide à ses confrères dans de mauvaises passes.

> ## DÉGUSTATION
>
> ## BOURGUEIL VAUMOREAU 1990
>
> D'un pourpre presque noir, élégant et lustré ; bouquet exhalant des senteurs d'épices, cannelle et santal, posées sur des arômes de fruits mûrs provenant de vignes âgées. La bouche défie toute description par sa complexité, aux tannins pleins. À consommer à partir de 2005 et, convenablement gardé dans une bonne cave, peut vivre jusqu'au milieu du XXIᵉ siècle. Très grand vin. Dernière dégustation, septembre 1997. Note ★★★★★

Esprit logique et scientifique, Pierre-Jacques Druet garde un œil sur les dernières avancées de la technologie qu'il adopte lorsqu'elles peuvent améliorer la fabrication du vin. Les rouges fermentent dans de petites cuves coniques, en acier inoxydable, dont la température est très précisément contrôlée. Ils vieillissent ensuite non dans des

petites barriques, qui leur donneraient un goût boisé trop marqué, mais dans de grands fûts de chêne (capacité : 688 l) où ils restent de 18 mois à 4 ans, suivant le degré d'alcool du vin et la parcelle d'où il provient. Pierre-Jacques Druet produit aussi un rosé délicat et aromatique, qu'il fait fermenter dans le bois afin d'arrondir les

arêtes vives de son acidité. Il réalise encore un chinon rouge à partir de vieilles vignes du Clos de Danzay, qui, malgré son caractère impeccable, ne me convainc pas tout à fait.

Les vins les plus réputés sortant de sa cave sont cependant des bourgueils, au nombre de quatre. Le Cent-Boisselées, aux arômes primaires de cabernet franc, est prêt le premier. Le Beauvais est un cru complet, marqué par un bon équilibre entre vin et bois, réveillé par les saveurs de mûre typiques du bourgueil. Le Grandmont s'avère plus concentré et tannique. Enfin le Vaumoreau est un vin spectaculaire : les vignes âgées de cinquante à cent ans donnent un cru à la robe noire comme la nuit, au bouquet complexe où jouent des

senteurs épicées et éthérées. Un grand vin dont la vendange 1990 m'a fourni les meilleurs rouges de Loire que j'aie jamais bu.

DOMAINE COMTE GEORGE DE VOGÜÉ

Rue Sainte-Barbe, 21220 Chambolle-Musigny
Tél. : 03 80 62 86 25 Fax : 03 80 62 62 38
Visites : sur rendez-vous

L'atout principal de ce domaine est constitué par ses 6,6 ha en zone d'appellation Musigny, qui fournissent les trois quarts de la production de ce grand cru légendaire. Par ailleurs la maison possède 2,5 ha en Bonnes Mares, 0,5 ha en Chambolle premier cru Les Amoureuses et 2 ha en Villages-Chambolle. Vu la qualité exceptionnelle de tous ces vignobles, le domaine est toujours à même de produire de grands bourgognes rouges. Malheureusement pendant vingt ans, jusqu'au milieu des années 1980, les vins n'ont pas toujours été à la hauteur

FICHE D'IDENTITÉ

PROPRIÉTAIRE : baronne Élizabeth de Ladoucette
VINIFICATEUR : François Millet
SUPERFICIE DU VIGNOBLE : 12,1 ha
PRODUCTION ANNUELLE : 6 000 caisses
CÉPAGE : pinot noir
ÂGE MOYEN DES VIGNES : 40 ans
POURCENTAGE DE BOIS NEUF : de 40 à 70 %
MEILLEURS DERNIERS MILLÉSIMES : 1995, 1993, 1991
MEILLEURS ACCORDS VINS ET METS : viande grillée, venaison
RESTAURANT LOCAL : Les Millésimes à Gevrey-Chambertin

de cette réputation. La crise a été résolue en 1985 quand Élizabeth de Ladoucette a confié la vinification à François Millet. Après quelques réformes importantes, le domaine retrouvait sa place parmi les meilleurs de la Côte d'or au début des années 1990.

> ### DÉGUSTATION
>
> ## LE MUSIGNY VIEILLES VIGNES 1992
>
> Robe très foncée pour un 1992 ; nez muet, long à venir, tirant sur le végétal après aération ; tannique et peu généreux en entrée et milieu de bouche, les notes fruitées s'efforçant de durer. Décevant. Dernière dégustation septembre 1997.
>
> Note ★

François Millet aime laisser macérer longtemps les raisins à la fin de la fermentation, afin de structurer le caractère naturellement féminin du Chambolle. Le bois neuf est peu utilisé. Le Musigny Vieilles Vignes est la meilleure cuvée du domaine. Le millésime 1991 en constitue un bon exemple, bien que l'année ait été très difficile : le vignoble a été endommagé par de fortes averses de grêle au cours de l'été, provoquant des attaques de pourriture sèche. Lors des vendanges, 60 vendangeurs furent chargés de récolter à la pince les grains non atteints. Le vin obtenu est l'un des plus concentrés jamais réalisés au domaine. L'année 1992 pose un délicat problème (voir Dégustation), car son fruité fragile, typique de cette vendange fortement alcoolisée, n'était pas assez solide pour résister à une longue cuvaison sans y perdre charme et arôme. Ou doit-on imputer cet accident à une dégustation à l'aveugle au cours de laquelle les pinots noirs avaient déjà passé avant même que puissent se révéler les arômes secondaires d'un bourgogne à maturité ? Le domaine produit aussi un Musigny blanc, en quantité très limitée.

Château Ducru-Beaucaillou

33250 Saint-Julien-Beychevelle
Tél. : 05 56 59 05 20 Fax : 05 56 59 27 37
Visites: sur rendez-vous

Ce domaine tire son nom des magnifiques graviers qui tapissent son vignoble et de la famille Ducru, propriétaire du château au début du XIXᵉ siècle. La demeure, impressionnante avec ses tours carrées reliées par une façade classique d'une grande élégance, bénéficie d'une situation enviable et offre des vues panoramiques sur la Gironde. Les terres (49,6 ha), en lisière de l'appellation Beychevelle, couvrent les meilleures pentes donnant sur l'estuaire. Jean-Eugène Borie, dont le père acheta le

FICHE D'IDENTITÉ

PROPRIÉTAIRE : Xavier Borie
VINIFICATEUR : famille Borie
SUPERFICIE DU VIGNOBLE : 49,6 ha
PRODUCTION ANNUELLE : 20 000 caisses
CÉPAGES : cabernet sauvignon (65 %), merlot (25 %), cabernet franc (5 %), petit verdot (5 %)
ÂGE MOYEN DES VIGNES : 30 ans
POURCENTAGE DE BOIS NEUF : environ 50 %
MEILLEURS DERNIERS MILLÉSIMES : 1996, 1990, 1986, 1982
MEILLEURS ACCORDS VINS ET METS : rosbif, agneau, coq de bruyère
RESTAURANT LOCAL : Le Saint-Julien, à Saint-Julien

domaine en 1940, a tout du propriétaire du Médoc : modeste, attentif, il est très attaché à son exploitation.

Le Ducru a longtemps été célèbre pour l'élégance racée de ses vins. Parmi les grands crus classés du Médoc, c'est l'un des plus classiques : bouqueté, souple, sa fermeté cachée, qui lui vient d'un fort taux de cabernet sauvignon dans les assemblages, lui donne une bonne capacité à vieillir. Dans les grandes années (qui sont nombreuses), il présente des arômes d'une grâce particulière et inoubliable. Les meilleurs millésimes sont 1961, 1970, 1978, 1982 et 1986. L'année 1990 est, à mon avis, la meilleure depuis 1961 et devrait développer toute son harmonie vers 2005-2010. 1994 constitue une belle réussite dans une année généralement respectable, et le cru 1996, inondé des arômes de cabernet très mûr, régalera tous ceux, assez patients, qui pourront le déguster à partir de 2016.

> **DÉGUSTATION**
>
> CHÂTEAU DUCRU-BEAUCAILLOU
>
> Couleur pourpre rubis foncé, magnifique ; arômes encore serrés mais promesse de fruits rouges ; très élégant, très Ducru ; dominante nette de cabernet, bouche harmonieuse, longue et raffinée. Un des meilleurs 1994.
> Note ★★★

En 1978, Jean-Eugène Borie s'est porté acquéreur du Château Grand-Puy-Lacoste dans le Pauillac. Ces 20 dernières années, c'est donc Xavier, son fils, qui a maintenu le grand cru classé à une des meilleures places au sein des médocs. À l'image de son père, il réside sur ses terres, car comme les grands chefs, les Borie n'aiment guère s'éloigner des fourneaux.

DOMAINE DUJAC

7, rue de la Bussière,
21220 Morey-Saint-Denis
Tél. : 03 80 34 32 58 Fax : 03 80 51 89 76
Visites : sur rendez-vous

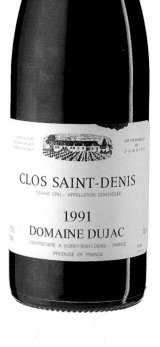

CLOS SAINT-DENIS
GRAND CRU - APPELLATION CONTRÔLÉE
1991
DOMAINE DUJAC
PROPRIÉTAIRE A MOREY-SAINT-DENIS - FRANCE
PRODUCE OF FRANCE

*F*ils unique d'un célèbre gastronome français, Jacques Seysses a appris très jeune l'art de déguster les vins. L'année où son père achetait des parts d'un vignoble du Volnay, La Pousse d'Or, il consacra ses vacances à la vendange et à la vinification de la récolte 1966. Après avoir renouvelé l'expérience l'année suivante, il prit sa décision : il achèterait une propriété en Bourgogne, où le vigneron cultivateur est aussi l'éleveur de son vin.

À la fin des années 1960, Jacques finit par trouver ce qu'il cherchait, un petit domaine dans la zone d'appellation Morey-Saint-

FICHE D'IDENTITÉ

PROPRIÉTAIRE ET VINIFICATEUR :
Jacques Seysses
SUPERFICIE DU VIGNOBLE : 11,1 ha
PRODUCTION ANNUELLE : 5 000 caisses
CÉPAGES : pinot noir (95 %), chardonnay (5 %)
ÂGE MOYEN DES VIGNES : 25 ans
POURCENTAGE DE BOIS NEUF : de 80 à 100 %
MEILLEURS DERNIERS MILLÉSIMES : 1995, 1993, 1991, 1990, 1989
MEILLEURS ACCORDS VINS METS : pigeon, gibier à plume
RESTAURANT LOCAL : Chez Greuse à Tournus

Le Domaine Dujac et ses vignobles,
dans la zone d'appellation Morey-Saint-Denis

Denis, constitué d'une vieille maison, de ses caves et de 4 ha de vignes. Il ne lui donna pas le nom de Seysses de peur que personne ne parvienne à le prononcer et à l'écrire correctement. Il le baptisa d'un nom concis et simple, Dujac, jeu de mots malicieux sur son propre prénom. Lorsque la propriété devint rentable en 1973, il laissa son métier de banquier et s'établit vigneron à temps complet.

Considérée aujourd'hui comme l'une des meilleures de la Côte de Nuits, la propriété est constituée de parcelles de bonne taille dans les zones de grands crus Clos de la Roche (1,8 ha) et Clos Saint-Denis (1,6 ha), d'autres plus petites dans les appellations Bonnes Mares, Échézeaux, plus quelques très vieilles vignes dans le Gevrey-Chambertin aux Combottes.

Jacques Seysses croit aux vertus de la tradition, il est donc le moins interventionniste possible dans la culture comme dans la vinification. Il évite pesticides et herbicides, préférant amender les sols de fumures organiques. La fermentation et la macération, qui durent entre 10 et 14 jours, s'effectuent dans des cuves d'acier émaillé, dont les dimensions permettent de vinifier les parcelles séparément. Les vins vieillissent en tonneaux de bois neuf, 16 mois durant, mais sentent rarement le chêne car les douves sont conservées à l'air pendant trois ans et légèrement fumées avant d'être assemblées.

MOREY SAINT-DENIS
APPELLATION MOREY SAINT-DENIS CONTRÔLÉE
1969
DOMAINE DUJAC
S.C.E. SEYSSES PÈRE & FILS PROPRIÉTAIRE A MOREY - ST. DENIS (COTE D'OR)

Les bourgognes rouges se caractérisent par leur nez affirmé, parmi eux les Dujac sont spécialement aromatiques. Le Clos Saint-Denis 1972, que j'ai bu en 1988, est un vin épicé et sensuel, un vrai petit « Jésus en pantalon de velours » comme on dit dans la région de Beaune. Le Clos de la Roche est plus substantiel, un « fondeur » à l'endurance prometteuse, l'un des mystères de la Bourgogne les mieux gardés de ces dernières années.

DÉGUSTATION

CLOS DE LA ROCHE, DOMAINE DUJAC, 1991

Robe plus profonde que d'habitude chez Dujac ; pinot noir intense et concentré, arômes secondaires de minéraux, d'épices et de cuir ; bouche pleine, d'une superbe texture, tannins puissants et mûrs, complexe jeu de nuances végétales, animales et minérales. La finale dure au moins 2 minutes.
À consommer à partir de 2000.
Note ★★★★★

ANGELO GAJA

Via Torino 36, 12050 (CN), Italie
Tél. : 0039 01 73 63 51 58 Fax : 0039 01 73 63 52 56
Visites : sur rendez-vous

Originaire d'Espagne, la famille Gaja s'installa dans le Piémont au XVIIe siècle. En 1859, Giovanni Gaja fonda le vignoble et, un siècle plus tard, en 1961, son arrière-petit-fils Angelo transforma l'exploitation vinicole traditionnelle de Barbaresco en un des plus prestigieux domaines d'Italie. Aujourd'hui, un barbaresco de Gaja coûte aussi cher qu'un second cru classé de Bordeaux ou un grand cru de Bourgogne.

Angelo Gaja s'est imposé les critères les plus élevés de qualité. Au milieu des années 1960, il devint le pionnier d'un système de taille

FICHE D'IDENTITÉ

PROPRIÉTAIRE : Gaja Società Semplice
VINIFICATEUR : Angelo Gaja
SUPERFICIE DU VIGNOBLE : 91,1 ha
PRODUCTION ANNUELLE :
32 000 caisses
CÉPAGES : nebbiolo (48 %), barbera, dolcetto et freisa (32 %), autres variétés (20 %)
ÂGE MOYEN DES VIGNES : 30 ans (vignoble de Barbaresco)
POURCENTAGE DE BOIS NEUF : entre 33 et 50 %
MEILLEURS DERNIERS MILLÉSIMES :
1990, 1989, 1988
MEILLEURS ACCORDS VINS ET METS :
gibier, champignons

DÉGUSTATION

GAJA
BARBARESCO 1990

Robe d'un rubis profond ; joli nez de goudron et de roses ; fruité merveilleusement défini, riche et ample, sans aucune trace de saveurs oxydées. Très long en finale. Exemplaire.

Note ★★★

qui réduisait considérablement le rendement du raisin nebbiolo, en taillant à 10 bourgeons par vigne. Dans les années 1970, l'arrivée de Guido Rivella, l'œnologue de Gaja, se nota dans un vin d'un fruité plus pur, aux tannins plus souples. Ce progrès considérable fut obtenu grâce à l'utilisation du nitrogène pendant la vinification, ce qui protégeait le vin contre l'oxydation et l'acidité volatile, les deux principaux défauts de l'ancien style de barbaresco.

Les trois vins barbaresco de Gaja proviennent d'une seule et même parcelle. Ce sont tous trois des vins de classe mondiale : le Sori San Lorenzo (3,9 ha), bien équilibré avec des arômes profonds ; le Sori Russi (4,4 ha), merveilleusement aromatique avec une texture veloutée rappelant un grand bourgogne ; le Sori Tilden (3,4 ha), la couleur la plus soutenue, la structure la plus durable et le meilleur potentiel de vieillissement. Si vous cherchez un vin au prix plus raisonnable, le barbaresco standard 1990, issu d'un excellent millésime, fera très bien votre affaire.

Angelo Gaja produit également un superbe barolo, issu du vignoble de Marenca-Rivette, à Serralunga, qui s'étend sur 28 ha.

Il fut aussi le premier vigneron à planter du cabernet sauvignon et du chardonnay en Piémont. Mis à part les prix excessifs, ce sont incontestablement des vins excellents, surtout le cabernet sauvignon darmagi.

Angelo Gaja, vinificateur hors pair

ÉTABLISSEMENTS GUIGAL

Château d'Ampuis, 69420 Ampuis
Tél.: 04 74 56 10 22 Fax: 04 74 56 28 76
Visites : sur rendez-vous

*P*ersonnage central du Rhône septentrional, Marcel Guigal est l'homme qui, par sa vinification brillante alliée à un sens aigu du marché, a su montrer au monde qu'un Côte Rôtie était un vin aussi fin que n'importe quel bordeaux ou bourgogne. Son père, Étienne

FICHE D'IDENTITÉ

PROPRIÉTAIRE : famille Guigal

VINIFICATEUR : Marcel Guigal

SUPERFICIE DU VIGNOBLE :
Château d'Ampuis, 8,2 ha ; Brune et Blonde, 8,2 ha ; La Mouline, 1,4 ha ; La Landonne, 1,7 ha ; La Turque, 1 ha

PRODUCTION ANNUELLE :
Château d'Ampuis, 2 300 caisses ;
Brune et Blonde, 1 650 caisses ;
La Mouline, 400 caisses ;
La Landonne, 800 caisses ;
La Turque, 400 caisses

CÉPAGES : syrah (89-100 %), viognier (0-11 %)

ÂGE MOYEN DES VIGNES : entre 15 ans (La Turque) et 70 ans (La Mouline)

POURCENTAGE DE BOIS NEUF : jusqu'à 100 %

MEILLEURS DERNIERS MILLÉSIMES : 1995, 1991, 1990, 1988

MEILLEURS ACCORDS VINS ET METS : gros gibier, gibier à plumes, viande cuite à l'étouffée

RESTAURANTS LOCAUX : Beau Rivage à Condrieu, La Pyramide à Vienne

DÉGUSTATION

CÔTE RÔTIE CHÂTEAU D'AMPUIS 1995

Robe profonde de cerise noire ; des arômes de framboises, violettes bercés par une touche de vanille. Un fruité d'une grande ampleur en bouche aux tannins doux.
À boire avant 2004.
Note ★★★

Guigal, ancien chef de caves et directeur du vignoble de la maison Vidal Fleury à Ampuis, créa la société en 1946. Marcel en devint le gérant en 1971 et, 30 ans plus tard, elle demeure avant tout une affaire familiale. L'administration est entre les mains de la femme de Marcel, Bernadette, et leur fils, Étienne, est destiné à devenir le futur vinificateur.

Les trois meilleurs vins de Côte Rôtie, issus d'une seule parcelle (La Mouline, La Landonne et La Turque), expriment toute la richesse et la sensualité de la syrah vendangée tard, aux cuvaisons prolongées, vieillissant pendant 42 mois en fûts de chêne neuf. En raison de leur rareté et des éloges fervents dont ne tarissent pas les critiques américains, ces vins ont l'inconvénient de coûter les yeux

Le vignoble de Guigal, situé
en terrasses pour empêcher l'érosion et retenir les vignes

Château Guigal,
situé dans l'étroit corridor de la vallée du Rhône

de la tête et sont quasi impossibles à obtenir. Les amoureux de Côte Rôtie disposant d'un budget plus limité peuvent se tourner vers le splendide « Brune et Blonde », une réussite infaillible, surtout en 1988 et 1991. À déguster au futur, le nouveau Château d'Ampuis, lancé en 1995, vous fait goûter à la magie de Guigal à des prix relativement abordables. Quant à son côtes-du-rhône, il offre un des meilleurs rapports qualité-prix des vins classiquement français.

CHÂTEAU HAUT-BRION

B.P. 24 33602 Pessac
Tél. : 05 56 00 29 30 Fax : 05 56 98 75 14
Visites : sur rendez-vous

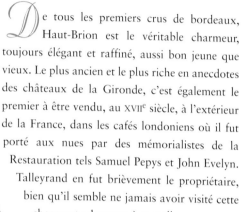

*D*e tous les premiers crus de bordeaux, Haut-Brion est le véritable charmeur, toujours élégant et raffiné, aussi bon jeune que vieux. Le plus ancien et le plus riche en anecdotes des châteaux de la Gironde, c'est également le premier à être vendu, au XVIIe siècle, à l'extérieur de la France, dans les cafés londoniens où il fut porté aux nues par des mémorialistes de la Restauration tels Samuel Pepys et John Evelyn. Talleyrand en fut brièvement le propriétaire, bien qu'il semble ne jamais avoir visité cette charmante demeure à tourelles.

FICHE D'IDENTITÉ

PROPRIÉTAIRE : SA Domaine Clarence Dillon

VINIFICATEUR : Jean-Bernard Delmas

SUPERFICIE DU VIGNOBLE : 43,5 ha

SECONDE ÉTIQUETTE : Château Bahans

PRODUCTION ANNUELLE : 16 000 caisses

CÉPAGES : cabernet sauvignon (45 %), cabernet franc (18 %), merlot (37 %)

ÂGE MOYEN DES VIGNES : 35 ans

POURCENTAGE DE BOIS NEUF : 100 %

MEILLEURS DERNIERS MILLÉSIMES : 1995, 1990, 1989, 1986, 1982

MEILLEURS ACCORDS VINS ET METS : viande rouge et gibier

RESTAURANTS LOCAUX : Le Chapon Fin, Jean Ramet à Bordeaux

En 1935, Château Haut-Brion fut acheté par le banquier américain Clarence Dillon, qui investit des sommes importantes dans la rénovation du chai et du vignoble. Joan, sa petite-fille, duchesse de Mouchy, est aujourd'hui présidente de l'entreprise.

Jean-Bernard Delmas, son directeur général de longue date, est l'un des meilleurs vinificateurs sur la place de Bordeaux. En 1960, de sa propre initiative, Haut-Brion fut le premier producteur de premier cru à remplacer les vieux foudres de bois par des cuves en acier inoxydable. Ayant installé une pépinière importante sur le domaine du château, Delmas a également mené des recherches sur les variétés de raisins à bordeaux et les clones. En 1983, la famille Dillon acquit la propriété avoisinante de Château la Mission Haut-Brion.

DÉGUSTATION

CHÂTEAU HAUT-BRION 1989

Vin atypique, imposant et immensément concentré. Robe d'un pourpre profond ; bouquet aux tons multiples de cassis, « boîte à cigares » et feuille de tabac ; texture de lanoline avec des jaillissements de fruit en parfait équilibre avec les tannins mûrs. Un très grand vin. Se conservera au moins jusqu'à 2020.

Note ★★★★★

Haut-Brion est presque invariablement le premier cru le plus précoce et le plus attirant, mais ce charme coulant de sa jeunesse est trompeur car ce vin vieillit merveilleusement bien. Le 1975 et le 1979 atteignent seulement maintenant leur apogée, et cette magnifique série de millésimes – 1982, 1983, 1985 et 1986 – est toujours loin d'avoir atteint sa pleine maturité. Le Haut-Brion 1989 est le vin rouge de référence du millésime. Successeur émérite du magnifique 1959, il éclipse de loin Lafite, Latour et Margaux.

C. A. HENSCHKE

P.O. Box 100, Keyneton, 5353 Australie
Tél. : 0061 8 8564 8223
Visites : du lundi au vendredi, de 9 h à 16 h, samedi de 9 h à 12 h

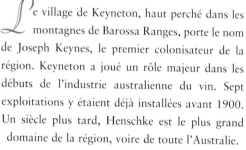

*L*e village de Keyneton, haut perché dans les montagnes de Barossa Ranges, porte le nom de Joseph Keynes, le premier colonisateur de la région. Keyneton a joué un rôle majeur dans les débuts de l'industrie australienne du vin. Sept exploitations y étaient déjà installées avant 1900. Un siècle plus tard, Henschke est le plus grand domaine de la région, voire de toute l'Australie.

La famille Henschke produit une gamme magnifique de vins rouges et blancs. Les vignobles principaux de Eden Valley sont plantés dans des sites plus hauts et plus

FICHE D'IDENTITÉ

PROPRIÉTAIRES : S. et P. Henschke

VINIFICATEUR : Stephen Henschke

SUPERFICIE DU VIGNOBLE : 101,2 ha

PRODUCTION ANNUELLE : 600 tonnes

CÉPAGES : syrah (30 %), cabernet sauvignon (10 %), merlot (3 %), malbec (2 %), les 55 % restants se composent de riesling, chardonnay, sémillon, sauvignon blanc et gewürztraminer, en proportions variables

ÂGE MOYEN DES VIGNES : 50 ans

POURCENTAGE DE BOIS NEUF : 70 % de chêne français, 30 % de chêne américain

MEILLEUR DERNIER MILLÉSIME : 1990

MEILLEURS ACCORDS VINS ET METS : veau, agneau, porc, gibier

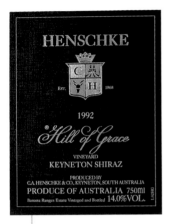

frais que les parcelles de la plaine chaude de la Barossa Valley. Cet avantage climatique permet aux Henschke de produire des vins de sauvignon/sémillon très aromatiques, un riesling succulent, et un cabernet sauvignon subtil. Mais leur meilleur vin est sans doute le Hill of Grace (colline de la grâce), issu de vignes de syrah ramenées d'Europe par les premiers colonisateurs allemands dans les années 1840. Les vignes, dont certaines ont aujourd'hui plus de 130 ans, ont des rendements très faibles, avec une extra-ordinaire intensité d'arômes.

Contrairement à ce que l'on pourrait penser, la vinification n'est ni typiquement traditionnelle, ni basée sur des temps de cuvaison prolongés. Stephen Henschke est un vinificateur innovateur qui cherche à faire ressortir quelque chose d'extraordinaire de son fruit et de son vignoble remarquables. Le chapeau est immergé pendant seulement sept jours, et le vin décuvé lorsque les peaux sont encore en fermentation. Ce procédé permet de préserver toute la souplesse des tannins de la syrah tout en donnant au vin la complexité, la concentration et la longévité liées à l'âge des vignes.

D'où un des grands vins rouges du monde, doué d'une souplesse et d'un charme australien inimitable, qui rendent hommage à la touche légère de son vinificateur.

> ## DÉGUSTATION
> ### HENSCHKE HILL OF GRACE, KEYNETON SHIRAZ 1992
> Robe d'un profond rubis foncé, d'aspect homogène et élégant ; au nez et au palais, un fruité hors pair de mûres épanouies, fondu dans des saveurs minérales de grande complexité. Texture soyeuse mais persistante en bouche.
> Note ★★★★

Le vignoble « Hill of Grace », dont les vignes sont âgées de plus de 100 ans.

MAISON LOUIS JADOT

21, rue Eugène-Spullier, 21203 Beaune
Tél.: 03 80 22 10 57 Fax: 03 80 22 56 03
Visites : sur rendez-vous

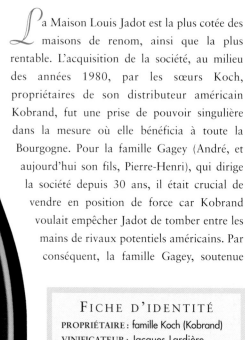

*L*a Maison Louis Jadot est la plus cotée des maisons de renom, ainsi que la plus rentable. L'acquisition de la société, au milieu des années 1980, par les sœurs Koch, propriétaires de son distributeur américain Kobrand, fut une prise de pouvoir singulière dans la mesure où elle bénéficia à toute la Bourgogne. Pour la famille Gagey (André, et aujourd'hui son fils, Pierre-Henri), qui dirige la société depuis 30 ans, il était crucial de vendre en position de force car Kobrand voulait empêcher Jadot de tomber entre les mains de rivaux potentiels américains. Par conséquent, la famille Gagey, soutenue

FICHE D'IDENTITÉ

PROPRIÉTAIRE : famille Koch (Kobrand)

VINIFICATEUR : Jacques Lardière

SUPERFICIE DU VIGNOBLE : 2,5 ha

PRODUCTION ANNUELLE : entre 800 et 1 100 caisses

CÉPAGE : pinot noir

ÂGE MOYEN DES VIGNES : de 35 à 40 ans

POURCENTAGE DE BOIS NEUF : 25 %

MEILLEURS DERNIERS MILLÉSIMES : 1996, 1995, 1993, 1990

MEILLEURS ACCORDS VINS ET METS : volaille de Bresse aux morilles, lièvre à l'étouffée

RESTAURANTS LOCAUX : Le Jardin des Remparts à Beaune, Lameloise à Chagny

par les nouveaux apports américains, garde toujours son mot à dire en ce qui concerne la direction de la société. Depuis, elle a considérablement élargi les vignobles plantés dans les meilleurs crus, et surtout dans les plus grands crus de la Côte de Nuits.

La propriété s'étend aujourd'hui sur quelque 42 ha, y compris des parcelles remarquables à Clos de Vougeot (3,2 ha) et Corton-Pougets (1,5 ha). La nouvelle installation vinicole à Beaune, utilisée pour la première fois pour le millésime 1997, est le domaine de Jacques Lardière, vinificateur de génie. Au total, 130 vins de premier ordre sont élaborés, des vins rouges savoureux et de magnifiques vins blancs de grande longévité, tous sans exception, issus de la Bourgogne. Le Corton (Dr Peste) 1990 mis en bouteilles par Jadot est le meilleur vin de la grande côte que j'aie jamais dégusté.

> ### DÉGUSTATION
> ### BEAUNE CLOS DES URSULES 1993
> Robe riche et lumineuse d'un rubis élégant ; au nez, ferme et serré, prometteur des arômes classiques du pinot, mais pour le moment, toujours très retenu ; au palais, robuste et ferme mais avec de belles saveurs bien définies de fruit, une touche de chêne et une longue finale d'une grande vinosité.
> Note ★★★★

Face à un tel embarras de richesses, ce résumé se concentre sur un des vins les plus fiables et les plus abordables de la maison, le monopole Beaune Clos des Ursules. Comme son nom l'indique, il s'agit d'un vignoble clos de 2,5 ha, magnifiquement exposé à l'est, à une hauteur de 272 m, sous l'appellation Beaune Premier Cru Vignes Franches. Les vignes de pinot noir sont d'une bonne maturité (35 à 40 ans). Suite à une fermentation et une macération de quatre semaines dans des cuves ouvertes en bois, le vin vieillit pendant 20 mois en fûts de chêne (25 % de bois neuf) avant tirage. Tous ces facteurs contribuent à l'élaboration d'un beaune d'une robustesse classique, d'une couleur riche et soutenue, aux arômes francs et aux saveurs bien définies, fidèle à ses origines. Si je devais choisir un bourgogne rouge et élégant sur lequel compter pour trouver du corps et de l'équilibre, ce serait certainement celui-ci. Des quatre millésimes formidables des années 1990 (1990, 1993, 1995 et 1996), le 1993 est le plus classique, promis à un long et grand avenir.

DOMAINE ROBERT JASMIN

Côte Rôtie, 69420 Ampuis
Tél. : 04 74 56 11 44 Fax : 04 74 56 01 78
Visites : sur rendez-vous

*R*obert Jasmin est le vigneron français typique : fort, jovial et plein de joie de vivre. Son approche décontractée de la vie est reflétée dans son Côte Rôtie. Élaboré d'une main légère, c'est un des vins les plus parfumés et les plus subtils de l'appellation.

Le domaine fut créé par le grand-père de Robert, qui quitta sa Champagne natale dans les années 1930, pour venir cuisiner au Château d'Ampuis. Aujourd'hui, la propriété s'étend sur 3,9 ha de vieilles vignes situées principalement sur les micaschistes et les sols ferrugineux des meilleurs coteaux de

FICHE D'IDENTITÉ

PROPRIÉTAIRE : Robert Jasmin
VINIFICATEUR : Robert Jasmin
SUPERFICIE DU VIGNOBLE : 3,9 ha
PRODUCTION ANNUELLE : 1 500 caisses
CÉPAGES : syrah (95 %), viognier (5 %)
ÂGE MOYEN DES VIGNES : 35 ans
POURCENTAGE DE BOIS NEUF : 10 %
MEILLEURS DERNIERS MILLÉSIMES : 1995, 1991, 1990, 1988, 1983, 1978
MEILLEURS ACCORDS VINS ET METS : lièvre à l'étouffée, daube de sanglier
RESTAURANTS LOCAUX : Beau Rivage à Condrieu, La Pyramide à Vienne

la Côte Brune, si propices à la culture du grand cépage syrah. Le cellier n'a rien de « high-tech ». Les vins sont élaborés à l'ancienne, « à la façon de grand-père ». Les raisins ne sont pas égrappés et la fermentation a lieu dans des cuves de ciment pendant 15 à 20 jours. Les vins sont ensuite vieillis pendant des périodes allant jusqu'à deux ans, soit en demi-muids (500 litres), soit en pièces de 221 litres. Robert est convaincu que l'utilisation effrénée du bois neuf est en train de standardiser les vins français, aussi dans son cellier, le bois neuf ne représente-t-il que 10 % du total.

> ## DÉGUSTATION
> ## CÔTE RÔTIE 1995
> Belle robe d'un rubis profond, limpide et élégante ; des arômes parfumés de framboises avec des effluves de truffes ; fruit pur et tendre de la syrah, d'un équilibre et d'une longueur exquis. À boire dès 2003.
> Note ★★★★

Il en résulte des vins voluptueux, bien fondus, ni trop lourds, ni trop extraits, les véritables Chambolle-Musigny de la Côte Rôtie. Le 1995 est un vin exceptionnel (voir Dégustation), tout comme le 1991. Le légendaire 1978, aujourd'hui pièce de collection, est un vin magnifique, parfaitement équilibré, et dont le fruit de la syrah retient toute sa fraîcheur après 20 années de vieillissement.

Robert Jasmin,
vinificateur de l'exceptionnel Côte Rôtie

DOMAINE MICHEL LAFARGE

Rue de la Combe, 21190 Volnay
Tél. : 03 80 21 61 61 Fax : 03 80 21 67 83
Visites : sur rendez-vous

*M*algré tous les progrès faits en matière de vinification dans la Côte d'or vers la fin des années 1980-début des années 1990, l'achat d'un classique bourgogne rouge demeure souvent une entreprise hasardeuse. Mais, si l'on devait nommer un viticulteur dont le vin est systématiquement excellent, ce serait sans aucun doute Michel Lafarge. Grand, distingué, recueilli, ce jeune septuagénaire débuta dans la vie avec des atouts certains. Le domaine

FICHE D'IDENTITÉ

PROPRIÉTAIRE : Michel Lafarge

VINIFICATEURS : Michel et Frédéric Lafarge

SUPERFICIE DU VIGNOBLE : 10,8 ha

PRODUCTION ANNUELLE : 6 000 caisses

CÉPAGES : pinot noir (95 %), chardonnay (5 %)

ÂGE MOYEN DES VIGNES : 30 ans

POURCENTAGE DE BOIS NEUF : information non disponible

MEILLEURS DERNIERS MILLÉSIMES : 1996, 1995, 1993, 1990

MEILLEUR INVESTISSEMENT : 1992

MEILLEURS ACCORDS VINS ET METS : gibier à plume comme la perdrix familial, créé au XIXe siècle, fut l'un des premiers domaines à faire sa propre mise en bouteilles dans les années 1930. Le trésor de la famille est une parcelle de 0,9 ha dans le Clos des Chênes, source infaillible de son vin le plus fin, avec le meilleur potentiel de vieillissement, le parfum et le bouquet du grand volnay alliés à une fusion alchimique de raffinement suprême, et une solide structure tannique présageant un long vieillissement.

Le 1983, dégusté en 1994, est l'un des meilleurs vins que j'aie jamais bus en trente années de dégustations passionnées. Parmi les autres bijoux de ce cellier, mentionnons le Beaune Grèves, éminemment expressif et merveilleusement équilibré, le Pommard Pezerolles, très droit et élégant, et le Volnay Clos du Château des Ducs, d'un fruité majestueux, issu d'un monopole loué à bail pendant plusieurs années, mais retourné à la famille à la fin des années 1980. Ce sont tous des vins fabuleux, rigoureusement contingentés et extrêmement chers.

> **DÉGUSTATION**
>
> **VOLNAY DOMAINE MICHEL LAFARGE 1992**
>
> Bel exemple de la main du maître dans une année légère. Couleur rouge soutenue, mais élégante ; fruité de volnay très pur, avec des touches d'épices et de gibier ; grâce à son acidité et à ses tannins modérés, à consommer dès maintenant.
> Note ★★★

La virtuosité des vinificateurs, Michel et son fils, ressort de façon tout aussi éclatante dans les vins moins connus. Le modestement étiqueté bourgogne rouge a tout d'un délicieux mini-volnay sauf l'appellation, et le Volnay Vendanges Sélectionnées est un achat vedette, meilleur que certains premiers crus dans les années moyennes, telles 1992 et 1994. Les Lafarge produisent également une petite quantité de meursault, d'autant plus charmant qu'il n'est pas trop boisé.

Michel Lafarge est un vinificateur à l'esprit très ouvert, toujours prêt à discuter des mérites d'un vin fin californien de pinot noir ou de chardonnay. Selon lui, la vinification est une affaire d'observation, nécessitant une approche flexible fondée sur son expérience personnelle des aléas du climat à Volnay au moment des vendanges. Chaque année est différente, et chaque année est une réussite.

CHÂTEAU LAFITE-ROTHSCHILD

33250 Pauillac
Tél. : 05 56 73 18 18 Fax : 05 56 59 26 83
Visites : sur rendez-vous

*L*afite, le nec plus ultra des châteaux du Bordelais, la propriété la plus prestigieuse au monde, apparaît à première vue comme le plus serein et le plus discret des premiers crus. Le château lui-même est un charmant manoir du XVIIe siècle, où les dimensions intimes des pièces de réception et des chambres à coucher créent une

FICHE D'IDENTITÉ

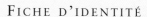

PROPRIÉTAIRE : Domaines des Barons Rothschild

VINIFICATEUR : Gilbert Rokvam

SUPERFICIE DU VIGNOBLE : 95,1 ha

SECONDE ÉTIQUETTE : Carruades de Lafite

PRODUCTION ANNUELLE : 20 000 caisses

CÉPAGES : cabernet sauvignon (70 %), merlot (20 %), cabernet franc (10 %)

ÂGE MOYEN DES VIGNES : 40 ans

POURCENTAGE DE BOIS NEUF : 100 %

MEILLEURS DERNIERS MILLÉSIMES : 1996, 1995, 1990, 1988, 1983, 1982

MEILLEURS ACCORDS VINS ET METS : rôti de veau ou d'agneau

RESTAURANT LOCAL : Château Cordeillan-Bages à Pauillac

ambiance de maison de campagne familiale. Mais derrière cette façade éternelle, voici 25 ans que Lafite suit les courants d'une révolution tranquille.

Quand le baron Éric de Rothschild reprit la responsabilité du château en 1974, la réputation des vins avait quelque peu flanché après une série de millésimes de qualité moyenne dans les années 1960 et début 1970. Il prit donc tout de suite la décision de faire appel au professeur Émile Peynaud, éminent œnologue bordelais.

En 1975, il nomma une nouvelle équipe de vinificateurs, sous la direction de Jean Crete (ex-Léoville-Las-Cases). En 1983, Gilbert Rokvam succéda à Crete et introduisit d'autres améliorations, comme la réduction du temps de vieillissement en fûts dans des millésimes plus fragiles, une décision cruciale qui réussit à restituer l'éclat du fruit qui faisait défaut chez Lafite depuis

> **DÉGUSTATION**
>
> CHÂTEAU LAFITE-ROTHSCHILD 1990
>
> Un vin complet ; robe superbe d'un rubis chatoyant ; bouquet complexe et classique de cassis et de cèdre, avec une touche judicieuse de vanille ; des saveurs à la fois puissantes et raffinées ; destiné à une longue vie. À boire dès 2010.
> Note ★★★★★

trop longtemps. En 1987, le château inaugura un nouveau chai, d'une architecture circulaire frappante, pour les vins de seconde année. Cela fut suivi, un an plus tard, par une nouvelle installation vinicole équipée de cuves en acier inoxydable thermorégulées.

Depuis l'arrivée d'Éric de Rothschild, les millésimes de Lafite ont retrouvé leur brio et leur élégance, alliés à une profondeur croissante de la couleur, de l'opulence et de l'intensité des saveurs. Le 1975 fut le premier grand Lafite depuis 1959. Le 1982 et le 1983 sont des vins de structure persistante, à quelques années de leur maturité, qui semblent remettre en question le vieil adage selon lequel les vins de Lafite sont toujours délicats. Mon préféré est le 1990, parfaitement équilibré entre le charme et la puissance, tandis que le 1995, très parfumé, et le 1996, musclé, sont de bon augure pour le futur. Depuis 1985, Lafite effectue une sélection beaucoup plus rigoureuse des vins pour le grand vin, une plus grande proportion de la vendange entrant dans l'élaboration de la seconde étiquette, le Carruades de Lafite.

LAKE'S FOLLY VINEYARDS

Broke Road, Pokolbin 2320, NSW, Australie
Tél. : 0061 2 4998 7307 Fax : 0061 2 4998 7322
Visites : du lundi au samedi, de 10 h à 16 h

*Q*uand Max Lake, chirurgien orthopédiste de Sydney, décida en 1963 de planter des vignes de cabernet dans la chaleur torride du Hunter Vallée, tout le monde lui dit qu'il était fou. Mais Max Lake n'est pas un homme à se laisser faire. Il garda la tête froide, sûr qu'il était d'avoir l'endroit idéal à Pokolbin. Le terroir du vignoble, qu'il baptisa du nom ironique de « Lake's Folly », offrait la combinaison rare d'une colline volcanique, d'un fond de vallée d'alluvions et d'une exposition sud-est. Âgées de 30 ans aujourd'hui, les vignes de cabernet donnent des arômes plus profonds aux vins issus d'une propriété classique, dont l'influence a été disproportionnée par

FICHE D'IDENTITÉ

PROPRIÉTAIRE : docteur Max Lake
VINIFICATEUR : Stephen Lake
SUPERFICIE DU VIGNOBLE : 12,1 ha
PRODUCTION ANNUELLE : 3 000 caisses
CÉPAGES : cabernet sauvignon (rouges)
ÂGE MOYEN DES VIGNES : 30 ans
POURCENTAGE DE BOIS NEUF : 33 %
MEILLEURS DERNIERS MILLÉSIMES : 1996, 1994, 1993, 1987
MEILLEURS ACCORDS VINS ET METS : viande rouge et gibier

rapport à sa taille. Grâce justement à la taille restreinte de son vignoble, Lake peut sélectionner chaque parcelle de raisins à la pointe de leur maturité, et les cueillir à la fraîcheur matinale.

Compte tenu de la qualité des raisins, la vinification est classique. Les rouges sont fermentés en cuves ouvertes, avec un traitement délicat du chapeau, de la manière la plus traditionnelle, ce qui assouplit les tannins et aide à rendre les vins plus attirants. Un système de refroidissement efficace est la seule concession à la technologie. Suite à la fermentation – la durée de la fermentation pelliculaire varie entre 7 et 20 jours, en fonction du caractère du millésime –, le vin est naturellement soutiré dans de vieux fûts. Au printemps suivant, 18 mois avant le tirage, il est transféré dans des barriques plus petites, de chêne français neuf. Souple et naturellement élégant, le cabernet sauvignon Lake's Folly peut être bu jeune, mais vieillit beaucoup mieux que la plupart des vins australiens du même type. La liste des années excellentes est longue, mais les millésimes 1987, 1981 et 1978 s'avèrent particulièrement remarquables. Plus récemment, le 1996, élaboré par Stephen, le fils de Max, n'est pas moins exceptionnel. La propriété produit également un excellent vin de chardonnay, de style bien structuré.

> ### DÉGUSTATION
>
> ### LAKE'S FOLLY CABERNET SAUVIGNON 1996
>
> Robe d'un rubis très profond ; nez présageant, au-delà des arômes de pur fruit, des notes de fumée, de vinosité et une touche de cuir ; une bonne acidité, des tannins mûrs ; long, serré, mais prometteur de beaucoup de générosité.
> Note ★★★★

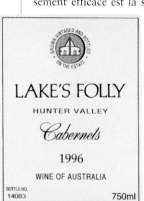

Max Lake (à droite) et son fils Stephen

CHÂTEAU LA MISSION HAUT-BRION

33400 Talence Bordeaux
Tél. : 05 56 00 29 30 Fax : 05 56 98 75 14
Visites : sur rendez-vous

Au XVIIᵉ siècle, le domaine de la Mission Haut-Brion fut légué aux pères lazaristes, un ordre religieux fondé par saint Vincent de Paul. Pendant le siècle suivant, jusqu'à la Révolution française, en 1789, les pères s'efforcèrent de faire de ce bon vin de Graves un produit remarquable.

L'histoire veut qu'ils prêchaient des sermons sotto voce aux sols pour favoriser le mûrissement des raisins. Aujourd'hui, on trouve toujours une petite chapelle de la mission sur le site. Pendant la majorité du XXᵉ siècle, la propriété fut dirigée de façon

FICHE D'IDENTITÉ

PROPRIÉTAIRE : Domaine Clarence Dillon

VINIFICATEUR : Jean-Bernard Delmas

SUPERFICIE DU VIGNOBLE : 17,2 ha

PRODUCTION ANNUELLE : 7 000 caisses

CÉPAGES : cabernet sauvignon (48 %), merlot (45 %), cabernet franc (7 %)

ÂGE MOYEN DES VIGNES : 19 ans

POURCENTAGE DE BOIS NEUF : 100 %

MEILLEURS DERNIERS MILLÉSIMES : 1995, 1990, 1989, 1988, 1986, 1985

MEILLEURS ACCORDS VINS ET METS : coq de bruyère, gros gibier

RESTAURANTS LOCAUX : Le Chapon fin et Jean Ramet à Bordeaux

exemplaire par la famille Woltner, des négociants passionnés qui firent la réputation internationale du vin. Depuis 1983, elle appartient à la famille Dillon, de Haut-Brion. Sous la direction de Jean-Bernard Delmas, le vieux chai a été modernisé, et une partie du vignoble replanté en merlot issu de porte-greffes des plus sains.

D'une couleur profonde et avec plus de punch que le Haut-Brion, le vin de La Mission exprime des arômes chauds et une puissance de fer dans une alliance de richesse et d'intensité qui n'a rien de dur ni d'ampoulé. La profondeur du gravier dans le vignoble et les rendements faibles jouent un rôle important dans la concentration du vin. La Mission élabora une série remarquable de vins de premier ordre en 1981, 1982, 1983, 1985, 1986, 1988, 1989 et 1990. Le 1995 est vraiment spectaculaire : un premier cru en tout sauf le nom, comme l'indiquent les prix élevés. La Mission élabore également le graves blanc de Château Laville Haut-Brion.

> ## DÉGUSTATION
>
> ### CHÂTEAU LA MISSION-HAUT-BRION 1990
>
> Robe rubis foncé, tranquille et profond ; bouquet exotique de terre chaude, cuir et poivre ; au palais, puissante présence tannique mais équilibre avec un fruité et un extrait superbe. À boire dès 2003.
> Note ★★★★

CHÂTEAU LATOUR

33250 Pauillac
Tél. : 05 56 73 19 80 Fax : 05 56 73 19 81
Visites : sur rendez-vous

*C*hâteau Latour tient son nom de sa tour carrée, qui servait à l'origine de fort de protection contre les pirates maraudeurs du Moyen Âge. Remontant essentiellement au XVIe siècle, le vignoble se situe à l'extrême sud de l'appellation Pauillac, sur un banc élevé de graves, surplombant l'estuaire de la Gironde, et séparé de son voisin Léoville-Las-Cases par un petit ruisseau.

Propriété de la famille de Beaumont pendant 300 ans, Château Latour intéressa ensuite un syndicat britannique dirigé par Lord Cowdray et Harveys of Bristol, qui

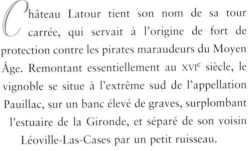

FICHE D'IDENTITÉ

PROPRIÉTAIRE : François Pinault
VINIFICATEUR : information non disponible
SUPERFICIE DU VIGNOBLE : 43,5 ha
SECONDE ÉTIQUETTE : Les Forts de Latour
PRODUCTION ANNUELLE : 20 000 caisses
CÉPAGES : cabernet sauvignon (80 %), merlot (15 %), cabernet franc (4 %), petit verdot (1 %)
ÂGE MOYEN DES VIGNES : 35 ans
POURCENTAGE DE BOIS NEUF : 100 %
MEILLEURS DERNIERS MILLÉSIMES : 1996, 1994, 1990
MEILLEURS ACCORDS VINS ET METS : gros gibier, lièvre à l'étouffée
RESTAURANT LOCAL : Château Cordeillan-Bages à Pauillac

acheta une participation majoritaire en 1963. Sur l'avis de Harry Waugh, grand spécialiste du vin britannique, des cuves de fermentation en acier inoxydable rem-placèrent rapidement les vieilles cuves en bois – une innovation qui fit froncer les sourcils des Bordelais conservateurs. Ils révisèrent leur idée après la dégustation du nouveau Latour 1964, qui fut proclamé le meilleur vin du millésime. Suite à une brève période entre les mains de Allied Lyons, Latour

redevint propriété française en 1993, quand il fut acheté par l'industriel François Pinault.

La vieille tour de Château Latour

Pendant longtemps, les critiques ont classé Latour comme le meilleur de tous les clarets. Énorme, aux tannins intransigeants, avec en contrepartie brillante des saveurs allant du cassis et de la cerise noire jusqu'à la réglisse et au laurier, c'est le marathonien des vins de Bordeaux. De grandes années, comme 1945 et 1947, sont toujours dans la course et pleines d'entrain à l'âge de 50 ans. Non moins superbes furent les vins de 1949, 1959, 1961, 1962, 1966, 1970, 1975, 1978 et 1982. Ensuite, Latour s'est un peu fourvoyé avec l'élaboration d'un 1983, particulièrement rachitique et diffus, qui semblait annoncer une volonté de créer des vins plus souples. Aujourd'hui, Latour paraît avoir retrouvé sa forme majestueuse avec un brillant 1990 et un 1994 d'une puissance rassurante.

Cave des vins de première année à Château Latour.
Les périodes de vieillissement vont jusqu'à 35 ans.

DOMAINE LEROY

21700 Vosne-Romanée
Tél. : 03 80 61 10 82 Fax : 03 80 21 63 81
Visites : sur rendez-vous

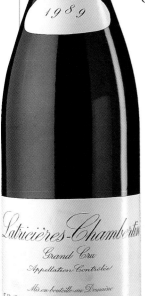

*L*es critiques britanniques et américains ne semblent pas toujours voir les choses du même œil en ce qui concerne la Bourgogne. Toutefois, tous s'accordent à dire que, de tous les meilleurs producteurs de vins rouges de la Côte, Lalou Bize-Leroy en est la grande star.

Le Domaine Leroy fut créé à partir de l'achat initial, en avril 1988, des vignobles et propriétés appartenant au domaine agonisant Charles Noellat de Vosne-Romanée, et, l'année suivante, de ceux de la propriété de Philippe Remy à Gevrey-Chambertin.

Lalou Bize-Leroy était particulièrement enthousiasmée par la qualité des vignobles de Noellat à Romanée-Saint-

FICHE D'IDENTITÉ

PROPRIÉTAIRE : Maison Leroy
VINIFICATEUR : André Porcheret
SUPERFICIE DU VIGNOBLE : 22,7 ha
PRODUCTION ANNUELLE : 8 000 caisses
CÉPAGE : pinot noir
ÂGE MOYEN DES VIGNES : 40 ans
POURCENTAGE DE BOIS NEUF : 100 %
MEILLEURS DERNIERS MILLÉSIMES :
1993, 1990
MEILLEURS ACCORDS VINS ET METS :
viande grillée, gibier
RESTAURANTS : L'Arpège, L'Ambroisie,
Le Carré des Feuillants à Paris ;
Le Cirque, Le Montrachet à New York

Vivant et Richebourg, mais elle ne reconnut pas immédiatement que ces parcelles étaient en conflit direct avec les vignobles appartenant au Domaine de la Romanée-Conti, dont elle était codirectrice à l'époque. Et en 1991, elle fut évincée du conseil d'administration de DRC.

De nouveau maîtresse de ses actes, Lalou Bize-Leroy décida rapidement de se lancer dans des méthodes de culture biodynamiques, et elle se mit à agrandir son domaine par des achats de parcelles dans les meilleurs sites, notamment au Musigny, Clos de la Roche, Corton Renardes et 1,25 ha à Pommard Les Vignots. En 1997, le Domaine Leroy avait presque doublé de taille, passant de 12 ha en 1988 à 22,5 ha 10 ans plus tard. Dans les vignobles, les rendements sont toujours limités, bien qu'ils varient d'une vendange à l'autre. La vinification est très classique, mais avec quelques touches ingénieuses de modernité. Par exemple, les

Borne en pierre du vignoble de Richebourg, à Vosne-Romanée

raisins ne sont pas égrappés, et, si la fermentation prolongée a lieu à l'ancienne dans des cuves ouvertes en bois, celles-ci sont équipées de régulateurs de température en acier inoxydable à leur base – une méthode évoluée, issue des travaux réalisés par le grand producteur-vinificateur alsacien, Leonard Humbrecht. Les vins passent ensuite en fûts de chêne 100 % neuf, fabriqués à partir de douves préalablement exposées à l'air libre pendant trois ans. Il en résulte une gamme de vins rouges parmi les plus spectaculaires de la Bourgogne, de couleur très soutenue, intense, riche, mais avec toute une variété de saveurs fidèles à leurs villages et vignobles d'origine. Jusqu'à ce jour, le millésime préféré de Lalou Bize-Leroy est le 1993, un enfant à problèmes qui devint un adulte de taille menue, mais parfaitement formé. Le Romanée Saint-Vivant de la même année est son meilleur vin, bien que le meilleur rapport qualité-prix soit le Vosne-Romanée Les Beaumonts.

DÉGUSTATION

ROMANÉE-SAINT-VIVANT 1993

Robe d'un rubis profond, concentrée mais lumineuse et élégante ; au nez, le fruité du pinot issu de vieilles vignes et des arômes d'épices asiatiques ; au palais, une texture soyeuse, avec une grande complexité de saveurs secondaires animales, végétales et minérales ; finale d'une longueur incroyable.

Note ★★★★★

CHÂTEAU LYNCH-BAGES

B.P. 120, 33250 Pauillac
Tél. : 05 56 73 24 00 Fax : 05 56 59 26 42
Visites : du lundi au vendredi
En été : de 9 h à 12 h 30 et de 14 h à 19 h
En hiver : de 9 h à 12 h et de 14 h à 18 h

*L*ynch-Bages est une maison charmante, située à mi-chemin entre Mouton et Lafite, sur un plateau appelé Bages, au sud-ouest de la petite ville paisible de Pauillac, dans l'estuaire de la Gironde. Aux XVIe et XVIIe siècles, les vignobles appartenaient aux terres de Lafite, et ce n'est qu'en 1728 que les premières archives enregistrent l'achat de la propriété par Pierre

FICHE D'IDENTITÉ

PROPRIÉTAIRE : Jean-Michel Cazes
VINIFICATEUR : Daniel Llose
SUPERFICIE DU VIGNOBLE : 91,1 ha
SECONDE ÉTIQUETTE : Château Haut-Bages Averous
PRODUCTION ANNUELLE : 35 000 caisses
CÉPAGES : cabernet sauvignon (75 %), merlot (25 %), cabernet franc (10 %)
ÂGE MOYEN DES VIGNES : 35 ans
POURCENTAGE DE BOIS NEUF : jusqu'à 75 % (selon les années)
MEILLEURS DERNIERS MILLÉSIMES : 1996, 1995, 1990, 1989, 1988
MEILLEUR INVESTISSEMENT : 1994
MEILLEURS ACCORDS VINS ET METS : viande rouge (surtout l'agneau de Pauillac) et gibier
RESTAURANT LOCAL : Château Cordeillan-Bages à Pauillac

La maison est située au sud-ouest de Pauillac,
dans l'estuaire de la Gironde.

Drouillard, dignitaire bordelais. Élisabeth, sa fille et héritière, épousa un des fils de la famille Lynch, qui avait quitté son Irlande natale pour s'installer à Bordeaux. La propriété fut achetée en 1937 par Jean-Charles Cazes, le grand-père du propriétaire actuel, Jean-Michel Cazes. Lors de l'acquisition de Lynch-Bages, Jean-Charles Cazes connaissait déjà bien son métier, il était le propriétaire et le vinificateur très respecté du Château Les Ormes de Pez, un Saint-Estèphe cru bourgeois, qui appartient toujours à la famille.

Dans les années 1940 et 1950, Lynch-Bages rechercha la perfection avant tout. Jean-Charles élabora des millésimes magnifiques qui, pourvu qu'ils aient été correctement stockés, se dégustent encore bien aujourd'hui. Ma première expérience d'un très grand bordeaux, dégusté en 1976, fut le puissant 1961, aux arômes de cèdre. Le 1962 n'est pas moins exemplaire.

Dans les années 1970, par un malheureux concours de circonstances, dans lequel se trouvent souvent les domaines français, la qualité de Lynch-Bages périclita, et les vins devinrent plus légers et moins complexes. Jean-Charles mourut en 1972, et son fils André dut faire face à des droits de succession énormes. Il n'y avait plus assez d'argent pour moderniser l'équipement de vinification, et le personnel des caves se faisait vieux et hostile aux changements. Mais en 1976, il eut la perspicacité de recruter un jeune et brillant vinificateur, Daniel Llose qui, au début des années 1980, put donner libre cours à sa virtuosité grâce à la construction d'une nouvelle installation vinicole, comprenant des cuves en acier inoxydable thermorégulées et, surtout, un espace plus grand, ce qui permettait de vinifier séparément les raisins issus des différentes parcelles du vignoble. Le puissant et très concentré 1981 fut la preuve tangible de la renaissance de Lynch-Bages, suivi d'un magnifique 1982. Le 1985 est un des meilleurs vins du millésime – riche, souple et gras – et le 1989, un vin énorme d'une intensité inouïe. La règle générale ici est de cueillir les raisins tard pour favoriser des tannins d'une maturité optimale. En même temps, ces dernières années ont vu une augmentation du pourcentage des barriques en chêne neuf, utilisées pour le vieillissement du vin, quoique le pourcentage exact dépende du volume et du style du millésime.

> ### DÉGUSTATION
> ### CHÂTEAU LYNCH-BAGES 1994
> Robe d'un élégant rubis, d'une profondeur lustrée ; au nez et au palais, un fruité d'une pureté exceptionnelle à dominance de cabernet sauvignon ; des notes de cassis et « boîte à cigares », aux tannins soyeux.
> Note ★★★★

Lynch-Bages, dans les années 1990, élabora des vins d'une qualité tout à fait équivalente à un « super second cru ». Mais, le véritable test du niveau d'un château de Bordeaux est la qualité de ses vins dans des années médiocres ; dans les conditions pluvieuses de 1992 et 1993, Lynch-Bages produisit des vins très fruités et étoffés, grâce à une sélection rigoureuse des meilleurs raisins. Le 1994, à déguster à moyen terme (6 à 8 ans), est un vin fin, à dominance cabernet, qui représente une très bonne affaire à mesure que les prix des bordeaux montent en flèche. Le 1995 et le 1996 sont d'excellents millésimes, auxquels le vieux Jean-Charles aurait sans aucun doute tiré son chapeau.

Jean-Michel Cazes, propriétaire de Château Lynch-Bages

CHÂTEAU MARGAUX

33460 Margaux
Tél. : 05 57 88 83 83 Fax : 05 57 88 83 32
Visites : sur rendez-vous

*C*hâteau Margaux fit son apparition au début du XVIIIe siècle, quand il prit place parmi les quatre meilleurs bordeaux acclamés, à l'époque, dans les cafés de la Cité de Londres. En 1787, Thomas Jefferson, en visite à Bordeaux, marqua sa prédilection pour Margaux, de préférence à Lafite, Latour et Haut-Brion. On ne peut qu'admirer son goût car, deux siècles plus tard, c'est toujours le vin le plus fin de tous

FICHE D'IDENTITÉ

PROPRIÉTAIRES : familles Mentzelopoulos et Agnelli
VINIFICATEUR : Paul Pontallier
SUPERFICIE DU VIGNOBLE : 78,9 ha
SECONDE ÉTIQUETTE : Pavillon Rouge de Château Margaux
PRODUCTION ANNUELLE : 31 000 caisses
CÉPAGES : cabernet sauvignon (75 %), merlot (20 %), petit verdot (3 %), cabernet franc (2 %)
ÂGE MOYEN DES VIGNES : 30 ans
POURCENTAGE DE BOIS NEUF : 100 %
MEILLEURS DERNIERS MILLÉSIMES : 1996, 1990, 1988, 1986, 1983, 1982, 1978
MEILLEURS ACCORDS VINS ET METS : rôti et grillade de veau et d'agneau
RESTAURANTS LOCAUX : Relais de Margaux, Le Savoie à Margaux

DÉGUSTATION

CHÂTEAU MARGAUX 1994

Un margaux gracieux et élégant, tout en finesse ; beaux arômes d'épices et de vanille, et des saveurs solides étayées par la grande maturité du cabernet sauvignon.
Long et fin.
Note ★★★

les grands bordeaux. Quant au château lui-même, avec ses colonnades du Premier Empire, c'est l'un des chefs-d'œuvre architecturaux du Médoc.

Suite à l'acquisition de la propriété, en 1977, par le défunt André Mentzelopoulos (chaîne d'épiceries Félix Potin), Château Margaux entra dans l'une des plus brillantes périodes de son histoire. Des sommes mirobolantes furent investies dans les vignobles, le chai et le château. Le millésime 1978 est un très grand vin, d'une richesse superbe et long en bouche, qui se gardera longtemps dans le XXIᵉ siècle. La mort de Mentzelopoulos, en 1980,

l'empêcha de jouir des fruits de son investissement. Heureusement, sa fille Corinne, qui lui succéda, se montra digne de son père. Sous sa direction, et la direction technique de Paul Pontallier, le domaine élabora une série de vins remarquables en 1982, 1983, 1986, 1988, 1990 et 1996. Le 1994, de style très margaux, est un vin gracieux à déguster à moyen terme. Depuis 1978, grâce au développement des plantations en cabernet sauvignon, les vins ont acquis une structure dont manquaient parfois les millésimes des années 1960 et 1970. Pavillon Rouge, second vin de Margaux, est d'une qualité comparable, quoique plus cher, à certains médocs seconds crus.

ROBERT MONDAVI

7801 Saint Helena Highway, P.O. Box 106,
Oakville, Californie 94562, États-Unis
Tél. : 001 707 259 9463
Visites : tous les jours, de mai à octobre de 9 h à 17 h ;
de novembre à avril de 9 h 30 à 16 h 30

*N*égociant en vins américain le plus connu, vinificateur infatigable et innovateur, Robert Mondavi est le véritable père des vins californiens tels que nous les connaissons aujourd'hui.

Le Cabernet Sauvignon Reserve est le vin sur lequel il a basé sa réputation. Les trois quarts des raisins qui entrent dans l'élaboration de ce cabernet classique sont cultivés dans les meilleurs sites, au cœur de la Napa Valley, y compris le vignoble de Mondavi lui-même, à To-Kalon, planté autour de son établissement futuriste de Oakville. Le vin

FICHE D'IDENTITÉ

PROPRIÉTAIRE : Robert Mondavi
VINIFICATEUR : Tim Mondavi
SUPERFICIE DU VIGNOBLE : 101,2 ha
PRODUCTION ANNUELLE : 35 000 caisses
CÉPAGE : cabernet sauvignon
ÂGE MOYEN DES VIGNES : 30 ans
POURCENTAGE DE BOIS NEUF : 71 %
MEILLEURS DERNIERS MILLÉSIMES : 1996, 1995, 1994, 1992, 1991, 1990
MEILLEURS ACCORDS VINS ET METS : côtes d'agneau, rôti de veau au four
RESTAURANTS LOCAUX : Mustards, Yountville Diner à Yountville

est passé par plusieurs changements de style depuis son premier millésime, en 1965. Le 1974 était superbe et très tannique. Par comparaison, les millésimes des années 1980 paraissaient moins flamboyants.

En revanche, dans le millésime classique de 1992, nous retrouvons l'ancien style de 1974, mais avec une présence plus accusée de fruit pur. Les tannins sont plus souples, grâce au traitement plus délicat des raisins et aux temps de cuvaison plus longs, allant parfois jusqu'à 27 jours.

De toutes les initiatives vinicoles de Mondavi, celle qui fit le plus de bruit fut son entente avec le défunt baron Philippe de Rothschild pour créer un nouveau vin nommé « Opus One ». Depuis le premier millésime en 1979,

Robert Mondavi, le négociant en vins le plus célèbre des États-Unis

Installations vinicoles futuristes de Mondavi,
à Oakville, en Californie

l'objectif est d'élaborer un vin à base de cabernet, alliant l'attirance voluptueuse de Napa et la classe structurée d'un grand médoc. Les premiers millésimes passèrent pour trop boisés mais, depuis 1985, le vin commence à montrer un équilibre et une puissance qui répondent aux souhaits des associés. 1987, 1991, 1994 et 1996 s'imposent comme des millésimes manifestement réussis.

DÉGUSTATION

ROBERT MONDAVI CABERNET SAUVIGNON RESERVE 1992

Des arômes classiques de cassis ; plusieurs strates de saveurs de fruits noirs et de baies, mises en valeur par les notes vanillées du nouveau chêne français de Nevers ; d'une structure excellente avec des saveurs finement définies.
Note ★★★★

1992
NAPA VALLEY
CABERNET SAUVIGNON
RESERVE
UNFILTERED
ROBERT MONDAVI WINERY
ALCOHOL 13.5% BY VOLUME

Château Mouton-Rothschild

33250 Pauillac
Tél. : 05 56 59 22 22 Fax : 05 56 73 20 44
Visites : musée du vin

*C*e château, le plus théâtral de tous les châteaux de Bordeaux, était, à plusieurs points de vue, l'œuvre du baron Philippe de Rothschild, mort en 1988. Mathématicien, poète, imprésario de théâtre et yachtman de haute mer, c'était un homme d'un intellect rigoureux, d'une imagination désinvolte et d'une énergie presque inépuisable. Tout ce qu'il touchait semblait briller d'une qualité spéciale, et le domaine vinicole dont il hérita en 1923 ne fit pas exception.

FICHE D'IDENTITÉ

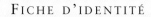

PROPRIÉTAIRE : baronne Philippine de Rothschild

VINIFICATEUR : Patrick Leon

SUPERFICIE DU VIGNOBLE : 81 ha

PRODUCTION ANNUELLE : 33 000 caisses

CÉPAGES : cabernet sauvignon (78 %), cabernet franc (10 %), merlot (10 %), petit verdot (2 %)

ÂGE MOYEN DES VIGNES : 45 ans

POURCENTAGE DE BOIS NEUF : de 80 à 100 %, selon les années

MEILLEURS DERNIERS MILLÉSIMES : 1996, 1986

MEILLEURS ACCORDS VINS ET METS : gros gibier, agneau, veau

RESTAURANT LOCAL : Château Cordeillan-Bages à Pauillac

Château Mouton-Rothschild, à Pauillac

En 1925, Rothschild prit la décision – qui passait pour révolutionnaire à l'époque – de mettre tous ses vins en bouteilles au château, plutôt qu'à Bordeaux. Après la Seconde Guerre mondiale, il eut l'inspiration de passer commande à un artiste, différent chaque année, pour l'illustration de la partie supérieure de l'étiquette. Les œuvres de peintres de renommée mondiale, tels Chagall et Andy Warhol, ont embelli chaque millésime de Mouton depuis 1945. En reconnaissance tardive de la stature du vin, le Château fut promu au rang de premier cru en 1973. La propriété appartient aujourd'hui à la fille unique de Philippe, Philippine, qui a continué l'opération « Opus One », lancée par son père et la famille Mondavi en Californie. Son projet vinicole le plus récent, au Chili, produisit ses premiers vins en 1997.

Principalement composé de graves et de silex, le sol du vignoble Mouton-Rothschild prédisposait à une planta-tion élevée en cabernet sauvignon. En pleine forme depuis le début des années 1980, c'est un pauillac équilibré entre puissance et succulence. Le 1982 est magnifique, comme le sont le 1986 et le 1996.

> ### DÉGUSTATION
> ### CHÂTEAU MOUTON-ROTHSCHILD 1994
> Bouteille décorée par le peintre hollandais, Karel Appel. Vin puissant adouci par un charme soyeux. Des arômes de café rôti et de fruits noirs, un caractère affirmé de cabernet soutenu par des tannins fins ; bel équilibre et longueur d'un premier cru.
> Un vin haut de gamme.
> Note ★★★★

BODEGAS MUGA

Barrio de la Estación, 26200 Haro, Espagne
Tél. : 0034 941 311825 Fax : 0034 941 312867
Visites : du lundi au vendredi, à 11 h

*L*es vins rouges élaborés par cette famille exceptionnelle de « bodegas » ont tout ce qu'un grand rioja devrait avoir : des saveurs riches et complexes, juste ce qu'il faut de chêne, un magnifique potentiel de vieillissement.

Fondée en 1932 par Isaac Muga, descendant d'une vieille famille de producteurs de rioja, la société est dirigée aujourd'hui par son fils, Isaac Junior, qui prit les rênes en 1969 et s'engagea à respecter des normes très exigeantes de qualité. En 1971, quand l'exploitation devint une corporation, la famille conserva une part

FICHE D'IDENTITÉ

PROPRIÉTAIRE : Bodegas Muga S.A.
VINIFICATEUR : famille Muga
SUPERFICIE DU VIGNOBLE : 45,5 ha
PRODUCTION ANNUELLE : 75 000 caisses
CÉPAGES : tempranillo (70 %) et, en moindres proportions, grenache, graciano et mazuelo.
ÂGE MOYEN DES VIGNES : 6 ans
POURCENTAGE DE BOIS NEUF : 10 % (⅔ de chêne américain, ⅓ de chêne français)
MEILLEURS DERNIERS MILLÉSIMES : 1995, 1994, 1989, 1987, 1985
MEILLEUR INVESTISSEMENT : 1994
MEILLEURS ACCORDS VINS ET METS : gros gibier, viande rouge, fromage
RESTAURANTS LOCAUX : Beethoven, Terete, Atamauri à Haro

majoritaire, afin d'assurer la continuité des méthodes de production, résolument traditionnelles, mises en place par le vieil Isaac. À titre d'exemple, l'ensemble des procédés de vinification, de stockage et de vieillissement se fait sous bois.

Propriétaire d'un vignoble de bonne taille planté dans les meilleurs sites du Rioja Alta, la société achète la plupart de ses raisins à une quarantaine de

petits vignerons, dont certains fournissent Muga depuis trois générations. « Nous avons confiance en nos petits vignerons, explique Isaac Junior, car ils ne possèdent que de petites superficies et s'occupent soigneusement du raisin. Ils savent aussi que nous n'aimons que les meilleurs raisins et que nous sommes prêts à y mettre le prix. »

Pour Muga, la vinification en rouge et la qualité des soins s'inscrivent dans un véritable travail d'artisanat. La société

Fermentation des raisins sous bois

possède sa propre tonnellerie. Le soutirage est effectué par gravité à l'aide d'une canne creuse dans le but d'éliminer les impuretés et d'oxygéner les vins, qui ne sont jamais filtrés. Tous ces soins se révèlent dans le verre. En ce qui concerne les vins rouges, la Réserve 1989 fut l'une des affaires du siècle : riches jaillissements fruités de mûres, mélangés à la vanille du chêne. Si vous en trouvez dans un catalogue de négociant, n'hésitez pas à en acheter, car il sera toujours excellent, bien au-delà du nouveau millénaire. Le 1994 est un autre vin exceptionnel (voir Dégustation). Le haut de gamme 1987 et 1985 Prado Enea Rioja Gran Reserva, est un très grand vin mais extrêmement cher. Les *reservas* simples sont nettement plus intéressantes au niveau du prix.

Splendide salle à manger des Bodegas Muga

CHÂTEAU PAPE CLÉMENT

33600 Pessac
Tél.: 05 56 07 04 11 Fax: 05 56 07 36 70
*Visites : sur rendez-vous, du lundi au vendredi,
de 9 h à 12 h et de 14 h à 17 h*

*P*lanté en 1300 par l'archevêque Bertrand de Got, futur pape Clément V, le vignoble demeura la propriété de l'église jusqu'à la Révolution française. Depuis 1939, il appartient à la famille du poète français, Paul Montagne. Bien que situé aujourd'hui dans la banlieue de Bordeaux, le vignoble s'étend sur un large plateau caractérisé par la légèreté et la complexité de son sol fait de sable, de graves et même d'oligoéléments de fer. Ce terroir et le mélange classique de

FICHE D'IDENTITÉ

PROPRIÉTAIRE : famille Montagne

VINIFICATEUR : Bernard Pujol

SUPERFICIE DU VIGNOBLE : 30,4 ha

SECONDE ÉTIQUETTE : Le Clémentin du Château Pape Clément

PRODUCTION ANNUELLE : 10 000 caisses

CÉPAGES : cabernet sauvignon (60 %), merlot (40 %)

ÂGE MOYEN DES VIGNES : 39 ans

POURCENTAGE DE BOIS NEUF : entre 80 et 90 %

MEILLEURS DERNIERS MILLÉSIMES : 1996, 1990

MEILLEURS ACCORDS VINS ET METS : veau, champignons

RESTAURANT LOCAL : Le Chapon Fin à Bordeaux

DÉGUSTATION

CHÂTEAU PAPE CLÉMENT 1995

Belle robe pourpre rubis, profonde, sans extraction excessive ; arômes majestueux de fleurs de printemps, subtilement effleurés d'une touche de vanille due au chêne ; un vin d'une effronterie trompeuse, mais superbement équilibré, avec des tannins très fins. Beaucoup de cachet.

Note ★★★★

---

cabernet sauvignon et de merlot façonnent un vin élégant, aux arômes parfaitement définis.

Suite à une série de vins amaigris dans les années 1970 et au début des années 1980, Bernard Pujol devint vinificateur en 1985. Depuis, le domaine se retrouve en pleine forme, élaborant des vins aux arômes souples et distingués de tabac, avec la texture opulente d'antan. La vinification est essentiellement classique, mais avec des touches modernes intelligentes. Par exemple, la fermentation malolactique, processus qui assouplit et arrondit le vin, a lieu moitié dans des barriques, moitié dans de l'acier inoxydable pour éviter tout excès de bois dans le vin fini. Ceci dit, Pujol est un apôtre du bois neuf, dont il a augmenté les pourcentages, pour les meilleurs millésimes, jusqu'à 80 ou 90 %. Il a manifestement la main légère, car le goût du chêne n'est

jamais envahissant. Les années 1986, 1988 et 1990 donnèrent des vins superbes, au bouquet ample mais équilibré. Le 1995 séduisait par ses arômes, le 1996 était de l'étoffe des grands, avec un goût de cabernet sauvignon particulièrement bien mûri.

PENFOLDS GRANGE

Tanunda Road, Nuriootpa, Barossa, Australie
Visites : non ouvert au public

*L*a naissance du Grange, le vin rouge prééminent de l'Australie, fut longue et douloureuse. En 1950, Max Schubert, vinificateur en chef de Penfolds, fit un grand tour des vignobles de Bordeaux et revint au Barossa avec le désir d'élaborer un vin rouge doué d'une complexité et d'une aptitude au vieillissement comparables à celles d'un grand claret.

En 1951, Schubert fit un premier essai en élaborant cinq fûts de vin rouge issu de syrah, et répéta l'expérience en 1952. L'année suivante, pour le millésime 1953, il créa un vin expérimental à partir de cabernet sauvignon. Mais quand ses

FICHE D'IDENTITÉ

PROPRIÉTAIRE : Southcorp Wines

VINIFICATEUR : John Duval

SUPERFICIE DU VIGNOBLE : information non disponible

PRODUCTION ANNUELLE :
entre 5 000 et 10 000 caisses, selon les années

CÉPAGES : jusqu'à 99 % de syrah

ÂGE MOYEN DES VIGNES : information non disponible

POURCENTAGE DE BOIS NEUF : 100 % de chêne américain

MEILLEUR DERNIER MILLÉSIME : 1990

MEILLEURS ACCORDS VINS ET METS : gibier, viande grillée

patrons chez Penfolds dégustèrent ces vins noirs et tanniques, il furent horrifiés et sommèrent Schubert d'arrêter la production immédiatement. Heureusement, comme tous les grands vinificateurs, Schubert avait un côté obsessionnel et continua à élaborer du Grange en douce, avec l'approbation tacite de son personnel dévoué. En 1960, il persuada les directeurs de

> ## DÉGUSTATION
> ### PENFOLDS GRANGE 1990
> Robe d'un noir intense au centre du verre, graduant vers les bords pour se muer en carmin ; d'une complexité fruitée bouleversante, aux arômes de mûres, épices douces et tannins fins. À maturité vers 2002.
> Note ★★★★★

Penfolds de tenter une nouvelle dégustation des premiers vins. Dans l'intervalle, ceux-ci avaient commencé à se défaire de leurs tannins, pour révéler un fruité d'une richesse extraordinaire et une grande ampleur en bouche. Schubert reçut le feu vert, ainsi que le financement nécessaire pour faire de Grange l'un des plus grands vins rouges du monde.

Contrairement à son rival principal, Hill of Grace de Henschke, Grange ne tire pas son fruit d'un seul vignoble, mais de plusieurs sources dans le Barossa, les Southern Vales, voire, à l'occasion, de Padthaway et du Hunter Valley. La fermentation se déroule à des températures chaudes, dans des récipients en acier inoxydable. Ensuite le vin est soutiré puis mis en fûts de chêne américain pendant 18 mois, ce qui lui confère cet équilibre de fruit et une complexité oxygénée typique du style Grange. Le mélange de cépages est dominé par la syrah, avec l'adjonction de 1 à 13 % de cabernet sauvignon selon le millésime.

CHÂTEAU PÉTRUS

33500 Pomerol
Tél. : 05 57 51 78 96 Fax : 05 57 51 79 79
Visites : sur rendez-vous

*I*nconnu en 1945, Château Pétrus est devenu, en quelque 50 ans, l'un des deux vins de Bordeaux les plus chers. L'autre vin, le Pin, également un pomerol, est aussi son pire rival. L'énorme succès international du vignoble de Pétrus, qui s'étend sur 11,5 ha, est dû aux talents de promoteur de Christian Moueix, de la Maison J.-P. Moueix à Libourne. Tristement cependant, comme la plupart des vins cultes, le Pétrus est plus un sujet de conversation que de dégustation ; à maturité, ce vin est pratiquement introuvable.

FICHE D'IDENTITÉ

PROPRIÉTAIRES : familles Lacoste, Loubet et Moueix

VINIFICATEUR : Christian Moueix

SUPERFICIE DU VIGNOBLE : 11,5 ha

PRODUCTION ANNUELLE : 4 500 caisses

CÉPAGES : merlot (95 %), cabernet franc (5 %)

ÂGE MOYEN DES VIGNES : 40 ans

POURCENTAGE DE BOIS NEUF : jusqu'à 100 %

MEILLEURS DERNIERS MILLÉSIMES : 1995, 1990, 1989, 1986, 1985, 1982

MEILLEURS ACCORDS VINS ET METS : gibier, champignons, canard cuisiné à l'orientale

RESTAURANT LOCAL : Hostellerie Plaisance à Saint-Émilion

Pétrus est l'expression suprême du cépage merlot, planté dans un sol profond et argileux qui lui convient à merveille. L'extrême richesse et concentration du vin proviennent de l'âge mûr des vignes (en moyenne 40 ans), et surtout d'une politique draconienne de limitation des rendements. Cela donna des vins exceptionnels en 1945, 1947, 1949, 1950, 1953, 1961, 1967 et, bien que sujet à controverse, en 1971. Les années 1970 accueillirent une série de vins non moins remarquables. Avec l'âge, les vignes ont donné des vins de plus en plus prodigieux, capiteux et lents à vieillir. Le 1982 et le 1985 sont des vins magnifiques, aujourd'hui à maturité. Le 1986 est immensément tannique, et à ne pas toucher avant 2006. Le 1989 est plus flatteur, et d'une intensité onctueuse. Le 1994 est probablement le meilleur vin de l'année sur la rive droite de Bordeaux.

Les bouteilles de Pétrus, jeunes ou vieillies, ne courent pas les rues, mais si vous arrivez à en dénicher une, profitez-en...

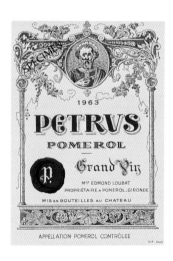

Château Pichon Longueville Comtesse de Lalande

33250 Pauillac
Tél.: 05 56 59 19 40 Fax: 05 56 59 26 56
Visites: sur rendez-vous

*P*ar contraste avec Pichon Baron, son pire rival, Pichon Comtesse est un élégant château des années 1840. May-Élaine de Lencquesaing, propriétaire de Comtesse depuis 1978, est la force motrice de la renaissance de ce vin, qui passe aujourd'hui pour l'un des plus beaux pauillacs, et l'égal des premiers crus. Rien d'étonnant à vrai dire, car les vignobles de Comtesse jouxtent

FICHE D'IDENTITÉ

PROPRIÉTAIRE: May-Élaine de Lencquesaing

VINIFICATEUR: Thomas Do Chi Nam

SUPERFICIE DU VIGNOBLE: 76,4 ha

SECONDE ÉTIQUETTE: Réserve de Comtesse

PRODUCTION ANNUELLE: 30 000 caisses

CÉPAGES: cabernet sauvignon (45 %), merlot (34 %), cabernet franc (13 %), petit verdot (8 %)

ÂGE MOYEN DES VIGNES: 25 ans

POURCENTAGE DE BOIS NEUF: jusqu'à 70 %

MEILLEURS DERNIERS MILLÉSIMES: 1996, 1990, 1989

MEILLEURS ACCORDS VINS ET METS: coq de bruyère et bécasse rôtis, agneau à l'étouffée

RESTAURANT LOCAL: Château Cordeillan-Bages à Pauillac

DÉGUSTATION

CHÂTEAU PICHON LONGUEVILLE COMTESSE DE LALANDE 1994

Robe rubis, profonde et concentrée, prometteuse d'un vin plus grand que d'habitude ; au nez et au palais, dominé par la solide structure du cabernet, mais toujours avec assez de cette souplesse parfumée, typique d'un vin de Comtesse.
Un 1994 bien fait.
Note ★★★

ceux de Latour, à cette différence près qu'un tiers de ceux de Comtesse sont plantés dans l'appellation de Saint-Julien, où les vignes apportent une souplesse et une élégance florale au vin qui le rendent unique. De couleur profonde, riche et fruité, c'est un cas rare de grand médoc contenant plus de 30 % de merlot.

Le zèle réformateur de madame de Lencquesaing s'est matérialisé par l'agrandissement du chai, un nouvel établissement vinicole et les améliorations apportées aux installations de dégustation et de réception. Le château et son parc ont également été entièrement rénovés. Grâce à la poigne de sa propriétaire, Pichon Comtesse s'est distingué par plus de millésimes brillants au cours de ces vingt dernières années que nul autre château de Bordeaux. Quiconque aurait prévu de mettre de côté les excellents millésimes des années 1980 – surtout 1989, 1986 et 1982 – peut s'attendre à des dégustations remarquables dans les toutes prochaines années.

L'élégant châtaeu de Pichon Comtesse,
datant de 1840

RIDGE VINEYARDS

17100 Monte Bello Road, P.O. Box 1810,
Cupertino, Californie 95015, États-Unis.
Tél. : 001 408 867 3244 Fax : 001 408 867 2986
*Visites : le vignoble de Monte Bello est ouvert toute l'année,
samedi et dimanche, de 11 h à 15 h*

*L*es cabernets et les zinfandels de Ridge, régulièrement classés parmi les grands vins des millésimes californiens, sont de véritables classiques dans le sens où ils peuvent rivaliser avec les meilleurs vins du monde. Pour être né au début des années 1960, lorsque les vins californiens entraient dans une nouvelle ère technologique, Ridge se différenciait fondamentalement de la plupart des vinificateurs. Comme le dit Paul Draper, vinificateur et moteur du domaine : « Notre approche est très simple : trouver les raisins aux arômes les plus intenses, intervenir le moins possible

DÉGUSTATION

RIDGE MONTEBELLO 1993

Robe pourpre rubis, presque opaque ; au nez, toujours fermé et d'une austérité classique, mais prometteur de riches fruits noirs et de réglisse ; au palais, prodigieux et concentré quoique finement racé, nerveux et joliment équilibré. À conserver jusqu'à 2003-2005. Dernière dégustation, janvier 1998.
Note ★★★★★

dans le processus naturel, extraire toute la richesse fruitée pour en imprégner le vin. »

Les grands vins, bien sûr, nécessitent avant tout d'excellents cépages, plantés dans des lieux exceptionnels. À Monte Bello Ridge, dans les montagnes de Santa Cruz, au sud de la baie de San Francisco, les premiers millésimes suffirent pour persuader les associés fondateurs qu'ils avaient trouvé le site idéal. Situé au frais, à 24 km du Pacifique, avec ses vignes mûres et ses sous-sols calcaires bien drainés, Monte Bello produit des vins de cabernet et de merlot parmi les plus distingués en Californie. Ridge, aujourd'hui, est propriétaire ou loue à bail

FICHE D'IDENTITÉ

PROPRIÉTAIRE : Akihisto Otsuka

VINIFICATEUR : Paul Draper

SUPERFICIE DU VIGNOBLE :
Monte Bello, 53 ha ; Lytton Springs, 63,6 ha ; Geyserville, 34,4 ha

PRODUCTION ANNUELLE : 65 000 caisses

CÉPAGES :
Monte Bello – cabernet sauvignon (57,4 %), merlot (20,2 %), chardonnay (15,3 %), zinfandel (4,6 %), petit verdot (1,5 %), cabernet franc (1 %)
Lytton Springs – zinfandel (71,1 %), petite syrah (11,3 %), grenache (5,9 %), syrah (5,9 %), barbera (2,7 %), mataro (2,6 %), carignan (0,5 %)
Geyserville – zinfandel (65 %), carignan (20 %), petite syrah (15 %)

ÂGE MOYEN DES VIGNES :
30 ans (Montebello), 50 ans (Lytton Springs), 60 ans (Geyserville)

POURCENTAGE DE BOIS NEUF :
100 % dans le cabernet, 20 % dans le zinfandel (dans les deux cas, chêne américain)

MEILLEURS DERNIERS MILLÉSIMES :
1996, 1995, 1994, 1992, 1991

MEILLEUR INVESTISSEMENT : 1993

MEILLEURS ACCORDS VINS ET METS :
agneau à l'étouffée pour le cabernet ; gros gibier ou mouton avec de la sauce tomate et des épices pour le zinfandel

RESTAURANTS LOCAUX :
Sent Sovi à Saratoga, Stanford Court Hotel à Palo Alto

RIDGE 1993
CALIFORNIA
MONTE BELLO

86% CABERNET IN A VINEYARD BLEND
GROWN, PRODUCED & BOTTLED BY RIDGE VINEYARDS
17100 MONTE BELLO ROAD, CUPERTINO, CALIFORNIA
12.5% VOL.   PRODUCE OF U.S.A.   1500 ML

RIDGE 1995
CALIFORNIA
LYTTON SPRINGS

84% ZINFANDEL IN A VINEYARD BLEND
PRODUCED AND BOTTLED BY RIDGE VINEYARDS   BW 4488
17100 MONTE BELLO ROAD, BOX 1810, CUPERTINO, CA 95014
14.5% VOL.   PRODUCE OF CALIFORNIA U.S.A.   750 ML

tous ses vignobles sur Monte Bello Ridge. De l'autre côté de la baie, à Geyserville, plus de 30 millésimes issus des vieilles vignes de cépages zinfandel, carignan et petite syrah, témoignent d'une autre alliance étonnante de climat et de situation. Non loin de là, le vignoble de Lytton Springs donne depuis 20 ans des vins qui suffisent pour convaincre Draper de l'excellence du site.

Paul Draper

Dans les vignobles, les rendements sont faibles; dans le cas de Monte Bello, ils sont souvent la moitié des rendements des autres domaines de Napa. Vinificateur doué de sens pratique, Paul Draper ironise en souriant: «Pour nous, les récoltes sont plus une question de goût que de teneur en sucre ou en acidité.» Pourtant, Draper et ses associés de la première heure se sont toujours demandés pourquoi les meilleurs vins sont élaborés à partir des méthodes traditionnelles. La réponse à cette question difficile est que le fait de minimiser le traitement lors de la vinification confère aux vins une riche vinosité qui emporte les tannins serrés vers une splendide maturité.

Dans les grands millésimes, le Monte Bello, assemblage classique de cabernet sauvignon et de merlot, avec de petites quantités de petit verdot et de cabernet franc, sera plein de vie et vigoureux après 25 ans; le 1962, l'un des millésimes préférés de Draper, a toujours bonne mine. Les millésimes des années 1990 connurent une des meilleures successions de grands vins de l'histoire de Ridge. Le 1996, dégusté en tant qu'échantillon en tonneau à Londres en juin 1997, s'annonçait le plus grand de tous. Ceux désirant goûter à la grandeur d'un Ridge à des prix abordables devraient choisir un Bridgehead Mataro (mourvèdre); le 1995 déborde d'un fruité juteux, rendu plus complexe encore par des notes de cuir et de poivre.

SAN GUIDO SASSICAIA

Tenuta San Guido, 57020 Bolgheri (Livourne), Italie
Tél. : 0039 565 76 20 03 Fax : 0039 565 76 20 17
Visites : sur rendez-vous

*S*assicaia fut le premier des vins Super Tuscan vieillis en barrique. De rayonnement international, il fut créé par le marquis Mario Incisa della Rochetta au début des années 1940, à partir des vignes de cabernet sauvignon et de cabernet franc qu'il avait plantées sur son domaine à Bolgheri, près de Livourne, sur la côte méditerranéenne. Pendant plus de 20 ans, le vin ne fut pas commercialisé, il ne fut mis sur le marché qu'en 1968. Le choix révolutionnaire des cépages, la situation du vignoble au bord de la mer et les méthodes de vinification de Incisa

FICHE D'IDENTITÉ

PROPRIÉTAIRE : marquis Nicolo Incisa della Rochetta

VINIFICATEUR : famille Incisa

SUPERFICIE DU VIGNOBLE : 50,6 ha

PRODUCTION ANNUELLE : 10 000 caisses

CÉPAGES : cabernet sauvignon (85 %), cabernet franc (15 %)

ÂGE MOYEN DES VIGNES : 30 ans

POURCENTAGE DE BOIS NEUF : 40 %

MEILLEURS DERNIERS MILLÉSIMES : 1995, 1990, 1985

MEILLEURS ACCORDS VINS ET METS : sanglier

RESTAURANT LOCAL : Enoteca à Florence

Guide du VIN ROUGE

enflammèrent rapidement l'imagination du monde du vin. Quand arrivèrent les années 1980, Sassicaia était un vin culte, au prix correspondant, surtout dans les restaurants à la mode de New York, Los Angeles et San Francisco.

Sassicaia est un assemblage de 85 % de cabernet sauvignon et de 15 % de cabernet franc, issus de sols très caillouteux où les rendements de fruits sont très faibles. La vinification a lieu dans des cuves en acier inoxydable. Elle

est suivie de 24 mois de vieillissement en barrique, et de 12 à 16 mois de repos avant la mise sur le marché.

En règle générale, le Sassicaia atteint son apogée dans les 8 à 12 ans. À pleine maturité, le vin révèle un bouquet intense de griottes et d'herbes sauvages, avec un parfait équilibre de fruité et de chêne, des saveurs parfumées exhalant la classe et le raffinement, et une finale longue et veloutée. Ces dernières années, les deux plus grands millésimes furent le 1985 et le 1990. Sassicaia fut promu en 1994, d'un *vino da tavola Super Tuscan* à un DOC Bolgheri.

L'agronome Alessandro Petri, dans le vignoble de Sassicaia

SILVER OAK CELLARS

P.O. Box 141, Oakville, Californie 94562, États-Unis
Tél. : 001 707 944 8808 Fax : 001 707 944 2817
Visites : sur rendez-vous

*S*i vous recherchez un plaisir purement hédoniste, les cabernets sauvignons de Silver Oak sont dans une classe à part. Depuis 1972, date à laquelle fut fondé le domaine près du carrefour d'Oakville, au centre de la Napa Valley, l'objectif de Justin Meyer a toujours été d'élaborer des vins riches et voluptueux, procurant un plaisir immédiat, dès leur mise sur le marché, sans compromettre leur potentiel de vieillissement. Rien d'étonnant donc d'apprendre que les deux tiers du rendement de Silver Oak sont vendus en Californie, et que 60 % de la production totale est écoulée auprès des restaurants américains.

FICHE D'IDENTITÉ

PROPRIÉTAIRES : Justin et Bonny Meyer
VINIFICATEUR : Justin Meyer
SUPERFICIE DU VIGNOBLE : 96,4 ha
PRODUCTION ANNUELLE : 40 000 caisses
CÉPAGE : cabernet sauvignon
ÂGE MOYEN DES VIGNES : 25 ans
POURCENTAGE DE BOIS NEUF :
50 % (Alexander Valley),
100 % (Napa Valley)
MEILLEURS DERNIERS MILLÉSIMES :
1996, 1994, 1992, 1991, 1990
MEILLEURS ACCORDS VINS ET METS :
gibier, viande rouge
RESTAURANT LOCAL : Domaine Chandon à Napa

Pour être basé à Napa, l'essentiel du vignoble de Silver Oak (83 ha) est planté dans le vieux quartier de la côte nord de l'Alexander Valley. Le reste du vignoble, quelque 6 ha, situé à Napa, comprend le minuscule vignoble particulier de Bonny. Tous ces vins sont élaborés à partir de cabernet sauvignon. Le plus merveilleux dans tout cela est qu'ils ne sont jamais ni trop durs ni vertement tanniques. Justin attribue cela à la pleine maturité des raisins vendangés tardivement, à la richesse minérale des sols et aux barriques de chêne originaire du Kentucky et du Missouri, dans lesquelles les vins reposent jusqu'à 30 mois.

Bien que partageant le même style somptueux, chacun des trois vins reste très particulier. Le Alexander Valley est à consommer jeune, pour ses arômes moelleux de fruits noirs et juste ce qu'il faut de la douceur naturelle du chêne

> ## DÉGUSTATION
>
> ## SILVER OAK CABERNET SAUVIGNON ALEXANDER VALLEY 1990
>
> Robe uniforme d'un rubis lustré ; bouquet vibrant de cassis et de cerises ; texture soyeuse en bouche, née d'un fruité somptueux mêlé aux saveurs vineuses secondaires et à la douceur discrète du chêne. Rond et onctueux. Formidable.
> Note ★★★★

américain. Plus élégant, le Napa exprime une structure durable, gage de longévité. Le Bonny's Vineyard, très concentré, mais très limité en quantité, a été progressivement supprimé à partir de 1993 et incorporé au Napa Cuvée. S'il y a toujours des doutes quant au potentiel de vieillissement de ces vins enchanteurs, le 1974 Silver Oak Napa Cuvée demeure plein de vie et de fruit à une époque où de nombreux cabernets californiens de ce millésime légendaire sont morts dans le verre.

Les vins de Silver Oak de 1990, Alexander Valley et Napa Cuvée, seront parfaits à déguster dans le nouveau millénaire ; les vins de 1992, 1994 et 1996 sont de véritables vins de garde.

BODEGAS VEGA SICILIA

Valbuena de Duero, Valladolid, Espagne
Visites : non ouvert au public

*L*e plus traditionnel et le plus fameux domaine vinicole espagnol, Vega Sicilia élabore les vins les plus grands et les plus durables de toute l'Espagne. Don Eloy Lecanda, riche propriétaire basque, fonda le domaine en 1864 et passa tout de suite commande à un pépiniériste de Bordeaux de pieds de vigne de cabernet sauvignon, merlot et malhec, en complément des cépages locaux déjà plantés dans le vignoble, le ribera tempranillo et l'albillo. Actuellement, les plantations s'étendent sur 166 ha, produisant 17 000 caisses, mais la famille Alvarez, propriétaire

FICHE D'IDENTITÉ

PROPRIÉTAIRE : Pablo Alvarez
VINIFICATEUR : famille Alvarez
SUPERFICIE DU VIGNOBLE : 162 ha
PRODUCTION ANNUELLE : 17 000 caisses
CÉPAGES : ribera tempranillo (65 %), cabernet sauvignon (15 %) et des proportions variables de malbec et d'albillo
ÂGE MOYEN DES VIGNES : 35 ans
POURCENTAGE DE BOIS NEUF : 0 %
MEILLEURS DERNIERS MILLÉSIMES : 1994, 1987, 1976
MEILLEURS ACCORDS VINS ET METS : gibier, veau, porc

du domaine depuis 1962, prévoit l'augmentation progressive de la production jusqu'à 25 000 caisses. Les soins de la vigne et la vinification demeurent rigoureusement traditionnels. Les rendements restent faibles et les vins passent une période prolongée sous bois avant le tirage.

Parmi les vins de la gamme, le Valbuena de « cinquième année » offre le meilleur rapport qualité-prix. Il allie une robe cerise-grenat aux reflets teintés de brique, à des arômes mûrs de fruits noirs, flattant le palais d'un excellent équilibre de fruits primaires, de vinosité et de chêne. Les vins millésimés de la Vega Sicilia Unico Gran Reservas sont à l'origine de l'extraordinaire renommée de la cave. Jamais mis sur le marché avant au moins 10 ans, et n'atteignant leur pleine maturité en générale qu'à 20 ou 30 ans, ces vins, bien que nettement marqués par les effets oxygénants du chêne, conservent jusqu'à leurs vieux jours un bouquet remarquablement vigoureux de fruit pur. Le 1976 (voir Dégustation) est excellent. Le 1970, parfumé et voluptueux, et le 1968, énorme et concentré, sont tout aussi magnifiques. Le vin haut de gamme, Vega Unico Special Reserva, très cher, est un assemblage de vieux vins des années 1950 et 1960. Acheté par les Espagnols fortunés, et remisé dans leurs caves privées, ce vin se fait très rare.

Guide du VIN ROUGE

LES
CONSACRÉS

BAVA

Strada Monferrato 2, 14023 Cocconato d'Asti, Piémont, Italie
Tél.: 0039 141 90 70 83 Fax: 0039 141 90 70 85
*Visites: du lundi au vendredi, de 8 h à 12 h et de 14 h à 18 h;
samedi, de 8 h à 12 h*

*T*rès unie, la famille Bava élabore ses vins dans un établissement vinicole traditionnel, dans le charmant village perché de Cocconato. Blotti entre Asti et les Alpes, c'est le quartier de Monferrato du Piémont, pays natal du barbera, l'un des deux cépages rouges du nord-est de l'Italie. Ce cépage splendide vivait autrefois dans l'ombre du nebbiolo, cépage à l'origine du Barolo. Au début des années 1980, Bava fut l'une des premières sociétés à élaborer des vins d'un style nouveau et de classe internationale, issus du barbera et vieillis

FICHE D'IDENTITÉ

PROPRIÉTAIRE: famille Bava
VINIFICATEUR: Paolo Bava
SUPERFICIE DU VIGNOBLE: 101,2 ha
PRODUCTION ANNUELLE: entre 50 000 et 100 000 caisses
CÉPAGES: barbera, nebbiolo, dolcetto, malvasia, ruche
ÂGE MOYEN DES VIGNES: 20 ans
POURCENTAGE DE BOIS NEUF: 100% pour les vins de la nouvelle génération
MEILLEURS DERNIERS MILLÉSIMES: 1994, 1993, 1991
MEILLEURS ACCORDS VINS ET METS: fritto misto, truffes blanches, fromage
RESTAURANT LOCAL: Ristorante Cannon d'Oro à Cocconato

Vignoble de Bava à Cocconato, dans le Piémont

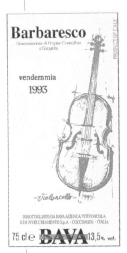

en barriques. L'un des buts de la famille Bava est de faire connaître à un public le plus vaste possible, les saveurs particulières du cépage natal du Piémont. Avec un sens inné des affaires, les Bava – qui sont des vinificateurs hors pair –, organisent des concerts de musique classique et de jazz dans le village.

Le Stradivario, le Barbera vedette de la société, est reconnaissable au motif de violon dessiné sur l'étiquette. Issu de raisins cultivés dans le vignoble de Cocconato à Gura, il est vieilli en fûts de chêne neuf de l'Allier

pendant 12 mois, et repose une année supplémentaire en bouteilles avant sa mise sur le marché. Si la présence du chêne neuf est marquée dans sa jeunesse, elle se fond dans le vin après une période de vieillissement. Pour ceux préférant un vin au boisé moins flagrant, Bava a introduit un

Barbera appelé Arbest, de style plus traditionnel. La différence principale entre celui-ci et le Stradivario est le vieillissement partiel en fûts anciens de grande contenance. La société élabore également un élégant Barolo et d'excellents vins rouges et rosés issus de cépages locaux, tels le ruche et le malvasia. Si vous en avez assez des vins de style international, reportez-vous sur ces vins délicieux et particuliers.

Bouteille de Barbera d'Asti

DOMAINES BUNAN BANDOL

B.P. 17, 83740 La Cadière-d'Azur
Tél. : 04 94 98 58 98 Fax : 04 94 98 60 05
Visites : tous les jours, de 8 h à 12 h et de 14 h à19 h
(en hiver, fermé le dimanche)

*H*aut perché au-dessus de La Cadière-d'Azur, dans un paysage vinicole d'une beauté saisissante, le Moulin des Costes est le siège social de Paul et Pierre Bunan, vinificateurs d'un bandol exemplaire. Juifs séfarades nés en Algérie, ils furent obligés de quitter l'Afrique du Nord en 1960, et mirent le cap sur la Côte d'Azur, où ils achetèrent le moulin. Un an plus tard, ils devinrent propriétaires du vignoble de 18,8 ha. Depuis, ces frères dynamiques ont acquis le Château de la Rouvière, qui

FICHE D'IDENTITÉ

PROPRIÉTAIRE : famille Bunan

VINIFICATEURS : Paul, Pierre et Laurent Bunan

SUPERFICIE DU VIGNOBLE : 81 ha

PRODUCTION ANNUELLE : 35 000 caisses

CÉPAGES : mourvèdre (70 %), grenache (30 %)

ÂGE MOYEN DES VIGNES : 50 ans (Château de la Rouvière), 35 ans (Moulin des Costes)

POURCENTAGE DE BOIS NEUF : 0 %

MEILLEURS DERNIERS MILLÉSIMES : 1996, 1995, 1993

MEILLEURS ACCORDS VINS ET METS : daurade ou rouget au four

RESTAURANTS LOCAUX : Le Relais de Mougins à Vence, Le Martinez à Cannes

s'étend sur 22 ha, et cultivent en location une troisième propriété, le Domaine de Belouve. Laurent Bunan, le fils de Paul, qui a étudié au lycée viticole de Beaune, travaille aujourd'hui à plein temps dans les domaines.

Le vin rouge du Moulin des Costes est un bandol puissant, mais souple. Le rosé est tout aussi excellent. La vedette de la gamme, la cuvée spéciale, ne fait son apparition que lors de millésimes exceptionnels (1996, 1995, 1993), elle est commercialisée sous le nom du Château la Rouvière. Élaboré à partir de vignes à faibles rendements âgées de 50 ans, et vieilli en grands tonneaux de chêne pendant 24 mois, c'est un vin expansif et réconfortant qui mérite d'être mis de côté pendant une dizaine d'années et dégusté avec un être cher, par une froide soirée d'hiver.

DÉGUSTATION

CHÂTEAU DE LA ROUVIÈRE 1993

Robe rubis pourpre, dense et profonde, mais lustrée ; nez puissant et vineux, avec des touches d'herbes de Provence ; au palais, un vin sans compromis, dont les tannins forts et mordants sont l'impression dominante, mais qui s'annonce en adversaire digne d'un gibier à condition de reposer jusqu'en 2003.
Note ★★★★

CUVAISON

4550 Silverado Trail, P.O. Box 384, Calistoga,
Californie 94515, États-Unis
Tél. : 001 707 942 6266 Fax : 001 707 942 5732
Visites : tous les jours, de 10 h à 17 h (sauf jours fériés)

*S*itué sur le Silverado Trail, dans la partie nord de la Napa Valley, le domaine de Cuvaison s'est progressivement amélioré depuis 1982, date à laquelle John Thacher en devint le vinificateur en chef. Ce dernier sait jouer en virtuose l'atout majeur de la propriété : le vignoble exceptionnel de 120 ha, qui s'étend dans la région fraîche de Carneros. « Mon style est de faire ressortir le caractère unique des raisins du domaine en conservant tout leur naturel. Quand on travaille à partir d'un

FICHE D'IDENTITÉ

PROPRIÉTAIRE : famille Schmidheiny
VINIFICATEUR : John Thacher
SUPERFICIE DU VIGNOBLE : 117 ha
PRODUCTION ANNUELLE : 60 000 caisses
CÉPAGES : chardonnay (70 %), merlot (20 %), pinot noir (10 %)
ÂGE MOYEN DES VIGNES : 6 ans
POURCENTAGE DE BOIS NEUF : de 50 à 70 %
MEILLEUR DERNIER MILLÉSIME : 1995
MEILLEURS ACCORDS VINS ET METS : porc, agneau, espadon
RESTAURANT LOCAL : Tra Vigne à Calistoga

fruit tellement merveilleux, c'est cela qu'il faut mettre en valeur. »

Environ 70 % du vignoble sont plantés en chardonnay, lequel est à l'origine d'un vin excellent, fermenté en barriques. Le merlot produit également un vin délicieux. Mais les véritables bijoux du domaine sont les deux pinots noirs. Fermentés dans de petites cuves en acier inoxydable, permettant de mieux contrôler le processus, ils sont

exemptés de collage. Le Carneros est sensuel, ample, mais bien équilibré, avec des arômes de goudron fumant et de vanille cheminant vers des saveurs opulentes et assez complexes de baies fruitées. L'Eris est plus subtil, moins boisé, mais tout aussi délicieux et alléchant.

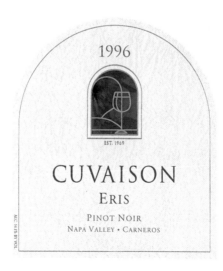

CHÂTEAU D'ANGLUDET

33460 Margaux
Tél. : 05 57 88 71 41 Fax : 05 57 88 72 52
Visites : sur rendez-vous

*L*e vignoble du château d'Angludet se trouve à l'extrémité sud-ouest de l'appellation Margaux, sur un plateau de graves appelé Le Grand Poujeaux. C'est ce sol qui est à l'origine du caractère solide du vin et de son potentiel de vieillissement. Vieille et confortable, avec une charmante mare aux canards, la bâtisse fut achetée en 1961, dans un état délabré, par Peter A. Sichel, courtier, président de l'Union des Grands Crus, et sa fiancée, Diana Heathcote-Armory. Ils y vécurent ensemble, avec leurs six enfants, jusqu'à la mort de Peter, en 1998. Aujourd'hui, leurs deux fils, Charles

FICHE D'IDENTITÉ

PROPRIÉTAIRE : Peter A. Sichel
VINIFICATEUR : Benjamin Sichel
SUPERFICIE DU VIGNOBLE : 35,4 ha
PRODUCTION ANNUELLE : 10 500 caisses
CÉPAGES : cabernet sauvignon (55 %), merlot (35 %), cabernet franc (5 %), petit verdot (5 %)
ÂGE MOYEN DES VIGNES : 28 ans
POURCENTAGE DE BOIS NEUF : entre 35 et 40 %, selon les années
MEILLEURS DERNIERS MILLÉSIMES : 1996, 1995
MEILLEUR INVESTISSEMENT : 1994
MEILLEURS ACCORDS VINS ET METS : viande grillée, lamproie à la bordelaise
RESTAURANTS LOCAUX : Le Pavillon de Margaux, Le Lion d'Or à Arcins

et Benjamin, sont respectivement gérant et vinificateur du domaine. Les soins apportés aux vignes et la vinification font appel à une combinaison de méthodes traditionnelles et modernes. Vendangés à la machine, les raisins sont fermentés pendant une dizaine de jours dans des cuves en béton, revêtues d'une couche plastifiée. Ensuite, ils passent 14 mois dans des

> ### DÉGUSTATION
> ### CHÂTEAU D'ANGLUDET 1994
> Robe d'un rubis profond ; expression aromatique de petits fruits noirs ; excellente structure tannique, mûre et bien équilibrée, avec des saveurs classiques à dominante de cabernet. À boire entre 1999 et 2004.
> Note ★★★

barriques de chêne de l'Allier ou de Nevers, d'une contenance de 15 litres, avant d'être tirés.

La replantation intégrale du vignoble porta ses fruits dans une série de millésimes excellents, notamment le superbe 1983, le classique 1986, aux saveurs allongées, et le majestueux 1989. Au cours des années 1990, avec le vieillissement, ces vins révélèrent une qualité raffinée et richement aromatique, que l'on associerait plus volontiers aux meilleurs vins de Margaux. Les vins d'Angludet ont toujours offert l'un des meilleurs rapports qualité-prix des vins de Bordeaux. En effet, Peter Sichel croyait fermement que l'escalade des prix des châteaux crus classés, au cours de la campagne en primeur de 1996, menaçait de tuer la poule aux œufs d'or avant la fin du siècle, comme cela s'était déjà produit vers 1991 et 1974.

La mare aux canards du Château d'Angludet

MARQUÉS DE GRIÑÓN

Oficina central : c/Alfonso XI, n° 12, 28014 Madrid, Espagne
Tél. : 0034 91 531 06 09 Fax : 0034 91 531 06 78
Visites : du domaine de Valdepusa, sur rendez-vous

*C*arlos de Falcó, marquis de Griñon, est l'un des pionniers de la modernisation de la viticulture et de la vinification en Espagne. Diplômé en sciences agricoles de l'université de Louvain en Belgique, puis de Davis en Californie, en 1974, il introduisit en Espagne les cépages de cabernet sauvignon et de merlot. Suivirent le chardonnay, le petit verdot et la syrah. Issu de l'une des plus vieilles familles d'Espagne, Falcó est l'héritier d'un titre et d'une famille qui, depuis 1292, sont liés au Domaine de Valdepusa, dans la province de Tolède.

À Valdepusa, à 60 km de Tolède, Falcó cultive un vignoble de 50 ha à dominante de cabernet sauvignon. En fait, le Marqués de Griñon Cabernet Sauvignon Reserva est

FICHE D'IDENTITÉ

PROPRIÉTAIRE : Carlos Falcó, marquis de Griñon
VINIFICATEUR : Carlos Falcó
SUPERFICIE DU VIGNOBLE : 50 ha
PRODUCTION ANNUELLE : 8 500 caisses
CÉPAGES : cabernet sauvignon, merlot
POURCENTAGE DE BOIS NEUF : variable suivant les années
MEILLEUR DERNIER MILLÉSIME : 1994
MEILLEURS ACCORDS VINS ET METS : cochon de lait rôti

un assemblage contenant 10 % de merlot. Les deux cépages ont un âge moyen de 20 ans. Suite à une fermentation en cuves d'acier inoxydable, le vin est vieilli pendant 18 à 24 mois en fûts de chêne français.

Nouvellement associé avec le groupe de Berberana, Falcó propose sa sélection

personnelle de vins de Rioja, issus de vieilles vignes de tempranillo, et distribués sous la marque Marqués de Griñon Private Reserve.

Carlos Falcó, marquis de Griñón,
dégustant l'un des vins de sa cave

Quelques vins parmi la grande sélection
du marquis de Griñón

Château de Lamarque

33460 Lamarque
Tél. : 05 56 58 90 03 Fax : 05 56 58 93 43
*Visites : du lundi au vendredi,
de 9 h 30 à 12 h et de 14 h à 17h*

L'ancienne propriété du Château de Lamarque tire son nom de sa position historique en tant que bastion à la frontière pour défendre le Médoc contre les attaques des Vikings qui naviguaient sur la Gironde. Autour de cette forteresse primitive, le château, qui existe encore aujourd'hui, fut construit au XIVe siècle, avec ses donjons, échauguettes, murailles crénelées et remparts. En 1841, le château fut acheté par le comte de Fumel, descendant d'une ancienne famille du Quercy. La production est aujourd'hui entre les mains de son arrière-arrière-petit-fils, Pierre-Gilles Gromond-Brunet d'Évry.

FICHE D'IDENTITÉ

PROPRIÉTAIRE : Pierre-Gilles Gromond-Brunet d'Évry

VINIFICATEUR : Jacques Boissenot

SUPERFICIE DU VIGNOBLE : 50,6 ha

PRODUCTION ANNUELLE : 25 000 caisses

CÉPAGES : cabernet sauvignon, merlot, cabernet franc, petit verdot

ÂGE MOYEN DES VIGNES : 28 ans

POURCENTAGE DE BOIS NEUF : 65 %

MEILLEURS DERNIERS MILLÉSIMES : 1996, 1995

MEILLEURS ACCORDS VINS ET METS : rôtis, volailles, champignons, fromages

RESTAURANT LOCAL : Le Lion d'Or à Areins

Pierre-Gilles Gromond navigue avec brio entre le milieu bordelais et le monde de la haute technologie ; il est en effet président du Groupe Gromond d'Évry. Ce puissant groupe de sociétés d'ingénierie a financé la rénovation des vignobles et des chais de la maison. Lamarque est aujourd'hui un des meilleurs crus bourgeois du Médoc.

> ### DÉGUSTATION
>
> ### CHÂTEAU DE LAMARQUE 1995
>
> Robe rubis soutenu, avec à peine quelques traces d'évolution que soulignent des reflets rouge grenat. Au nez et en bouche, une richesse somptueuse de fruits, mûris par un bel été ensoleillé, entourée d'une structure superbement classique ; longue persistance minérale. Très agréable.
>
> Note ★★★★

Les raisins sont vendangés à pleine maturité, par cépage et par parcelle. Depuis 25 ans, la vinification se fait sous l'œil expert du professeur Émile Peynaud et de son élève Jacques Boissenot, œnologue de grand talent.

Chaque cépage est fermenté séparément et la cuvaison dure environ 21 jours, avec contrôle très précis de la température et des remontages permanents. Toute la production est vieillie en fûts de chêne de l'Allier pendant 18 à 20 mois. Le pourcentage de chêne neuf est normalement de deux tiers avec un tiers de fûts d'un an.

Le 1985, dégusté en magnums en 1995, était un vin remarquable : toute l'ampleur et le charme de ce millésime, alliés à une longueur en bouche qui s'apparenterait plus au 1982 ou 1961. Le 1996 n'est pas moins prometteur.

Offrant un rapport qualité-prix imbattable, Lamarque est un vin à ne pas manquer si vous êtes amateur de claret.

Le château de Lamarque date du XIIIᵉ siècle

DOMAINE DE LA POUSSE D'OR

Rue de la Chapelle, 21190 Volnay
Tél. : 03 80 21 61 33 Fax: : 03 80 21 29 97
Visites : sur rendez-vous

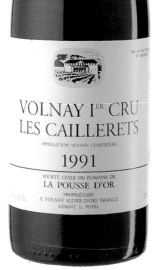

L'arrivée de Gérard Potel dans ce vieux domaine, en 1964, fut comme un souffle d'air frais. Ayant débuté comme fermier dans l'Aisne, il n'avait aucun a priori sur l'élaboration des vins et devint rapidement un éleveur courageux promouvant des bourgognes rouges de grande qualité. Il a été l'un des premiers viticulteurs à ne conserver que les raisins en parfait état au moment de la vendange pour assurer la haute qualité des vins mis en bouteilles au domaine chaque année. Sa propriété est un modèle du genre et l'une des sources les plus sûres de grand Volnay. Avec quelques-unes des meilleures parcelles de la

FICHE D'IDENTITÉ

PROPRIÉTAIRE : SCA Domaine de la Pousse d'Or

VINIFICATEUR : Gérard Potel

SUPERFICIE DU VIGNOBLE : 13,2 ha

PRODUCTION ANNUELLE : 6 000 caisses

CÉPAGE : pinot noir

ÂGE MOYEN DES VIGNES : 25 ans

POURCENTAGE DE BOIS NEUF : 33 à 50 %, selon les années

MEILLEURS DERNIERS MILLÉSIMES : 1996, 1995, 1993, 1991

MEILLEURS ACCORDS VINS ET METS : caneton aux cerises, gibier légèrement faisandé (bécasse)

RESTAURANT LOCAL : Ma Cuisine à Beaune

commune, le domaine possède le cru Les Caillerets, y compris son monopole sur le Clos des 60 ouvrées. La propriété de Gérard Potel est ravissante. Taillée dans un coteau de Volnay avec une charmante terrasse fleurie surplombant le vignoble, elle possède plusieurs caves fraîches et profondes.

DÉGUSTATION

VOLNAY CLOS DES 60 OUVRÉES 1991

Robe finement translucide aux reflets vermillon. Des arômes typiquement volnay, délicats, mais persistants. Concentré, mais sans excès et pas trop marqué par le bois. Finale soyeuse de grande classe.
Note ★★★★

La qualité remarquable de ses vins provient d'un respect averti du caractère de chaque millésime, soutenu par les techniques les plus modernes. Actuellement, Gérard Potel fait des essais avec une machine Durafroid qui fait évaporer l'eau sur les grappes pour éviter de chaptaliser les vins dans les années pluvieuses. Un tel souci du détail donne les meilleures chances d'obtenir des arômes purs et bien équilibrés millésime après millésime. Reconnu aujourd'hui pour l'excellence de ses vins dans les années soi-disant « inférieures », le domaine est tout aussi réputé pour des vins de référence remarquables, issus d'années excellentes, telles 1996 et 1993, alliant l'élégance soyeuse à une structure ferme.

Comme beaucoup de nombreux producteurs modernes sur la Côte, Gérard garde un œil sur le Nouveau Monde. Il vient de faire un pas de plus en participant à une « *joint venture* » en Australie-Occidentale où des vignes de pinot noir ont été plantées. Quand les vignes auront atteint leur maturité, il sera fascinant de voir si la main de velours de Gérard Potel réussit à dompter le fameux cépage bourguignon.

La propriété de Gérard Potel entourée de son domaine

CHÂTEAU DE PEZ

33180 Saint-Estèphe
Tél. : 05 56 59 30 26
Visites : sur rendez-vous

*F*ondé au XVe siècle, le château de Pez est l'une des plus anciennes propriétés autour de Saint-Estèphe. La famille Pontac, créatrice de Haut-Brion, a planté le vignoble en 1750. Ce Château s'est distingué parmi les meilleurs crus bourgeois du Médoc, produisant des vins de qualité « cru classé » d'un style classique, charmeur et de longue durée. Le superbe 1970 a volé la vedette à un Château-Latour 1967 lors d'un dîner Ban de Vendange en 1992. Mis à part un excellent 1986 dominé par le cabernet, ces dernières années les millésimes manquaient d'éclat.

Cependant, en 1995, le château et ses vignobles furent achetés par les champagnes

FICHE D'IDENTITÉ
PROPRIÉTAIRE : Champagne Louis Roederer
VINIFICATEUR : Jean-Baptiste Lecaillon
SUPERFICIE DU VIGNOBLE : 24,3 ha
PRODUCTION ANNUELLE : 12 000 caisses
CÉPAGES : cabernet sauvignon (45 %), merlot (8 %), cabernet franc (3 %), petit verdot (3 %)
ÂGE MOYEN DES VIGNES : plus de 30 ans
POURCENTAGE DE VIN NEUF : 40 %
MEILLEURS DERNIERS MILLÉSIMES : 1996
MEILLEURS ACCORDS VINS ET METS : viande en général, gibier
RESTAURANT LOCAL : Château Cordeillan-Bages à Pauillac

Louis Roederer qui investirent des sommes considérables dans la modernisation du vignoble et des chais laissant présager un retour à des vins de première qualité.

Le vignoble domine un haut plateau avec des coteaux bien exposés. Le sol est composé de gravier Gunzian sur un sous-sol argilo-calcaire de la région Saint-Estèphe ; la persistance du vin provient surtout de cette présence argileuse. Lors de la vinification, Château de Pez reste résolument fidèle au bois : la fermentation sur peaux dure 21 jours et se fait dans de vieux foudres ouverts par le haut. Suite à leur assemblage en décembre, les vins sont élevés en fûts (40 % de chêne neuf) et soutirés tous les 3 mois. Environ un an plus tard ou à la moitié de son élevage en bois, le vin est clarifié par collage aux blancs d'œufs. Il n'est jamais filtré. Un Château de Pez classique révèle une robe de couleur soutenue avec une ampleur en bouche très dense méritant un vieillissement prolongé. Les grands millésimes atteignent rarement leur apogée avant 12 à 15 ans.

GRAND VIN

CHÂTEAU DE PEZ

SAINT-ESTEPHE

APPELLATION SAINT-ESTEPHE CONTRÔLÉE

1994

Mis en bouteille au Château

SOCIÉTÉ CIVILE DE CHÂTEAU DE PEZ
PROPRIÉTAIRE À SAINT-ESTEPHE, GIRONDE

75 cl.   PRODUCE OF FRANCE   13% Vol.

CHÂTEAU DES JACQUES, MOULIN-À-VENT

71570 Romanèche-Thorins
Tél. : 03 80 20 19 57 Fax: : 03 80 22 56 03
Visites : sur rendez-vous

*T*ernis par leur association avec la production en masse du beaujolais nouveau, les grands crus des coteaux Beaujolais-nord sont maintenant sous-estimés et passés de mode. Ceci est particulièrement vrai en ce qui concerne Moulin-à-Vent où la terre brune et riche en bioxyde de manganèse peut donner des vins structurés et de couleur soutenue rappelant un bon bourgogne. Ces qualités ne demandent que des méthodes traditionnelles de vinification et la patience d'attendre que les vins se développent convenablement. Depuis toujours propriété prééminente de Moulin-à-Vent, le Château des Jacques utilise des méthodes tra-

FICHE D'IDENTITÉ

PROPRIÉTAIRE : Maison Louis Jadot
VINIFICATEUR : Pierre de Boissieu
SUPERFICIE DU VIGNOBLE : 36 ha
PRODUCTION ANNUELLE : 30 000 caisses
CÉPAGE : gamay noir
ÂGE MOYEN DES VIGNES : 35 ans
POURCENTAGE DE BOIS NEUF : 50 %
MEILLEURS DERNIERS MILLÉSIMES :
1996, 1995
MEILLEURS ACCORDS VINS ET METS :
abats, surtout rognons ; fromage de vache
RESTAURANT LOCAL : Les Maritonnes à Romanèche-Thorins

ditionnelles. En 1997, ayant longtemps appartenu à la famille Thorins, le domaine a été racheté par la maison de Louis Jadot, une entreprise dont les ressources financières et la clairvoyance lui permettaient une vision à long terme.

Sous ce nouveau contrôle, les vignobles s'étendent aujourd'hui sur 27,31 ha d'AOC Moulin-à-Vent et 9,10 ha de cépages blancs pouvant servir à l'élaboration de vins étiquetés beaujolais ou mâcon blanc.

Gérant et œnologue, Pierre de Boissieu modifie le traitement des raisins à leur arrivée à la cuverie : 80 % des raisins sont égrappés (c'est la seule maison à pratiquer ce procédé dans le beaujolais), 20 % restant intacts pour permettre une fermentation plus aérée. La fermentation traditionnelle, qui comprend un remontage régulier du jus afin d'humecter les peaux des raisins et favoriser le développement des tannins, dure entre 14 et 21 jours à des températures inférieures à 32 °C.

> ### DÉGUSTATION
> ### CHÂTEAU DES JACQUES, ROCHEGRES, 1996
>
> Robe rouge rubis, riche et profonde. Bonne concentration de tannins mûrs et d'acidité, mais gorgé de fruit sans aucun goût de rafle. Très long en bouche. Remarquable.
> À déguster entre 2000 et 2005.
> Note ★★★★

Notons que les vins rouges, sélectionnés à partir de certaines parcelles, sont vinifiés en cuves, vieillis en barriques de chêne et mis en bouteilles séparément. Ainsi, la gamme des vins comprend 6 cuvées différentes, chacune portant le nom de la parcelle du vignoble, en plus d'un vin générique, le Château des Jacques, qui représente l'assemblage de toutes les parcelles.

En septembre 1997, une dégustation au Château du millésime 1996 fit ressortir la diversité des vins issus des différentes parcelles. Le Thorins est un vin de couleur soutenue, rouge rubis, de moyenne ampleur, soyeux, avec de la mâche, très typé bourgogne ; le Champ de Cœur est fin, long en bouche, encore un peu jeune ; Grand Carquelin, très aromatique (violettes) et évolué, le plus typé beaujolais ; la Roche, fruité pur gamay aux notes de champignons des bois avec une touche discrète de vanille ; Rochegres (voir Dégustation), est un vrai vin de garde à conserver plusieurs années.

A. & P. DE VILLAINE

2, rue de la Fontaine, 71150 Bouzeron
Tél. : 03 85 91 20 50 Fax : 03 85 87 04 10
*Visites : sur rendez-vous du lundi au vendredi
de 9 h à 12 h et de 14 h à 17 h*

*M*ieux connu en tant que copropriétaire et directeur de la Romanée-Conti – la propriété la plus célèbre de Bourgogne –, véritable gentleman de la profession, de Villaine est l'un des viticulteurs les plus courtois et les plus ouverts, toujours prêt à donner des réponses franches et précises aux questions qui lui sont posées par la presse gastronomique mondiale. Il habite avec son épouse américaine, Pauline, à Bouzeron, un petit village tranquille dans l'arrière-pays bourguignon, à 10 minutes en voiture de la ville de Chagny plongée dans la torpeur. Bouzeron est

FICHE D'IDENTITÉ

PROPRIÉTAIRE : A. & P. de Villaine
VINIFICATEUR : Aubert de Villaine
SUPERFICIE DU VIGNOBLE : 20,2 ha
PRODUCTION ANNUELLE : 12 000 caisses
CÉPAGE : pinot noir (La Digoine)
ÂGE MOYEN DES VIGNES : 20 ans
POURCENTAGE DE BOIS NEUF :
de 10 à 15 %
MEILLEURS DERNIERS MILLÉSIMES :
1996, 1995, 1993, 1990
MEILLEURS ACCORDS VINS ET METS :
pigeon rôti, viande rouge
RESTAURANTS LOCAUX : Lameloise
à Chagny ; Hostellerie du Val d'Or
à Mercurey

célèbre pour son aligoté. Cultivé sur les coteaux argilo-calcaire orientés au sud-est au-dessus du village, ce cépage blanc ordinaire devient une source de vins blancs secs, élégants, légers et vifs à boire jeunes.

> ## DÉGUSTATION
>
> ## BOURGOGNE ROUGE LA DIGOINE 1995
>
> Robe rubis, élégante, brillante, toute la couleur classique d'un jeune pinot noir ; de jolis arômes de framboises sauvages, et finale de sous-bois, champignons et... truffe !
> Note ★★★★

Si de Villaine produit le meilleur aligoté du village, son vin rouge, le bourgogne rouge La Digoine est encore plus remarquable. De Villaine élabore ce vin 100 % pinot noir avec les mêmes soins méticuleux que ses grands crus du Domaine de la Romanée-Conti. Depuis 10 ans, la culture de la vigne est entièrement biologique avec du compost pour seul engrais. Les raisins sont vendangés à la main et la fermentation a lieu dans des cuves ouvertes pendant 12 à 15 jours. Les vins sont ensuite vieillis dans des fûts de bois dont seulement 10 à 15 % sont de bois neuf. De Villaine me confia un jour qu'il retrouvait des arômes de framboises et de truffes dans La Digoine. Nul doute qu'il a capté tous les arômes, le fruit et la finesse du

A. ET P. DE VILLAINE
Propriétaires à Bouzeron
Bourgogne
Aligoté de Bouzeron
Appellation Contrôlée
RECOLTE
1996
Mis en bouteilles au Domaine
Product of France
12,5% vol. e 75 cl.

pinot noir de bourgogne dans une bouteille qui est l'une des meilleures affaires de Bourgogne.

A. ET P. DE VILLAINE
Propriétaires à Bouzeron
Bourgogne
CÔTE CHALONNAISE
Les Clous
Appellation Bourgogne Contrôlée
RECOLTE
1995
Mis en bouteilles au Domaine
Product of France
12,5% vol. e 75 cl.

DOMAINE DROUHIN, OREGON

Breyman Orchards Road, Dundee, Oregon 97115, États-Unis.
Tél. : 001 503 864 2700 Fax : 001 503 864 3372
Visites : sur rendez-vous

*D*epuis le lancement de son premier millésime en 1988, Domaine Drouhin a été proclamé producteur par excellence de pinot noir en Oregon. La qualité constante de ses vins est entièrement due à l'œnologue Véronique Drouhin, qui a su allier la technologie moderne à une maîtrise de la tradition de vinification française.

Née en 1962, le jour de la vente aux enchères des Hospices de Beaune, Véronique est la fille de Robert Drouhin, le très respecté négociant et viticulteur bourguignon (voir la Maison Joseph Drouhin, p. 76). Titulaires de deux licences en œnologie de l'université de Dijon, Véronique fut formée dans la région bordelaise de Pessac-Léognan. En 1987, elle réintégra la Maison Drouhin où avec

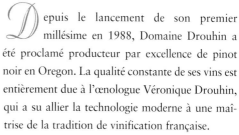

FICHE D'IDENTITÉ

PROPRIÉTAIRE : Robert Drouhin
VINIFICATEUR : Véronique Boss-Drouhin
SUPERFICIE DU VIGNOBLE : 72,9 ha
PRODUCTION ANNUELLE : 10 000 caisses
CÉPAGE : pinot noir (100 %)
ÂGE MOYEN DES VIGNES : 9 ans
POURCENTAGE DE BOIS NEUF : 20 %
MEILLEUR DERNIER MILLÉSIME : 1993
MEILLEURS ACCORDS VINS ET METS : poulet, agneau, bœuf, saumon

son père, elle s'investit dans la vinification et les dégustations de millésimes récents et anciens. Dans le cadre de ses études, Véronique avait effectué une analyse du potentiel existant en matière de vinification dans le nord-est du Pacifique américain. Quand Robert Drouhin décida de se lancer dans un projet de vinification en dehors de la Bourgogne, l'Oregon fut choisi comme étant l'endroit idéal pour produire du pinot noir.

DÉGUSTATION

DOMAINE DROUHIN OREGON PINOT NOIR 1994

Robe rubis, élégante, scintillante de reflets vermillon ; pureté de fruité cerise ponctuée d'une pointe de vanille ; soyeux, au palais bien défini. Impeccable.
Note ★★★

Le domaine se situe sur un coteau exposé au sud des Red Hills de la Willamette Vallée, à 48 km au sud-ouest de Portland. Dès le début, ce nouvel enfant de l'Oregon fut entouré des mêmes soins délicats et méticuleux que ceux que les Drouhin prodiguent aux grands vins de Bourgogne. Les raisins sont vendangés à la main dans des petits cageots de 11,3 kg ; la fermentation se déclenche naturellement avec des levures indigènes ; le chapeau subit un pigeage traditionnel afin de permettre l'extraction totale, mais délicate de la couleur ; et puisque les chais sont situés à flanc de coteaux, c'est par gravité que le soutirage des jeunes vins est effectué afin de préserver tout le potentiel des arômes. Le pourcentage de bois neuf ne dépasse jamais les 20 % afin de ne pas envahir de chêne le fruit succulent du pinot noir.

Véronique Drouhin, vinificatrice du Domaine Drouhin

Le vignoble magnifique
de Domaine Drouhin

La plupart des années, le domaine produit deux vins : le fleuron, DD Oregon pinot noir – bien que structuré et long en bouche, ce vin qui crée une impression immédiate de pureté de fruit et de texture soyeuse, est destiné à être bu avec plaisir dès sa mise en vente ; le DD Oregon Laurene pinot noir, qui doit son nom à la fille aînée de Véronique, est plus complexe, plus ample avec plus de longévité. Des neufs millésimes déjà lancés, les Drouhin estiment le 1993 comme leur plus belle réussite.

1994

Domaine Drouhin

OREGON

PINOT NOIR

PRODUCED, BOTTLED BY DOMAINE DROUHIN OREGON - DUNDEE, OR 97115
IMPORTÉ PAR J. DROUHIN A F-21200, FRANCE
13.0 % vol.   VIN DE L'ÉTAT D'OREGON, USA   750 ml

GEORGES DUBŒUF

B. P. 12, 71570 Romanèche-Thorins
Tél. : 04 85 35 34 20 Fax : 04 85 35 34 25
*Visites : Le Hameau du Vin, parc et musée vinicole,
ouvert tous les jours*

*E*n une trentaine d'années, Georges Dubœuf est devenu le négociant le plus important du Beaujolais, à la tête d'une société qui représente actuellement 15 % des ventes de vin de la région dans le monde entier. Étudiant en éducation physique à Paris dans les années 1950, Georges Dubœuf en a assez de prendre le métro tous les jours et décide de réintégrer le petit vignoble familial de Pouilly Fuissé, près de Mâcon. Après un démarrage modeste, il fidélise une clientèle de restaurateurs tirée des pages du Guide Michelin. Au début des années 1960, il entre en partenariat avec Paul

FICHE D'IDENTITÉ

PROPRIÉTAIRE : Les Vins Georges Dubœuf
VINIFICATEURS : G. et F. Dubœuf
SUPERFICIE DU VIGNOBLE : 72,9 ha
PRODUCTION ANNUELLE : 1 million de caisses
CÉPAGE : gamay
DISTRIBUTION EXCLUSIVE : Fleurie Domaine des Quatre Vents
ÂGE MOYEN DES VIGNES : 30 ans
POURCENTAGE DE BOIS NEUF : 10-20 %
MEILLEURS DERNIERS MILLÉSIMES : 1996 et 1995
MEILLEURS ACCORDS VINS ET METS : charcuterie, fromages crémeux
RESTAURANT LOCAL : Les Maritonnes à Romanèche-Thorins

Bocuse et Alexis Lichine dans le but de promouvoir les vins de producteurs du Beaujolais et du Mâconnais. En 1964, les producteurs ne pouvant s'entendre sur une stratégie commune, il décide de fonder sa propre société, les Vins Georges Dubœuf, à Chanes.

Très doué pour la communication, Georges claironna les louanges du véritable Beaujolais sur les marchés mondiaux, peignant les qualités fraîches et florales d'un vin délicieux, sans aucune trace d'amertume. Il doit son succès à des prix justes, une présentation contemporaine hors pair, et des moyens techniques de vinification les plus modernes. Georges Dubœuf est un accro du travail. Debout à 5 h 30, il est au bureau à 6 h, prêt à conseiller un viticulteur ou essayer une nouvelle cuvée. En effet, chaque année, Georges et son fils Franck dégustent plus de 7 000 vins provenant de 300 viticulteurs du Beaujolais. Contrairement aux dires d'une concurrence jalouse, chaque vin sélectionné pour la maison Dubœuf est un très bel échantillon de son appellation et de son village de production. Passionné par son métier, Georges Dubœuf s'est investi dans la culture du Beaujolais. Aujourd'hui il a la confiance absolue de nombreux viticulteurs qui traitaient déjà avec lui hors contrat à ses débuts. Toujours réaliste, il a vite compris que l'aubaine du Beaujolais Nouveau qui avait fait prospérer la région dans

> ### DÉGUSTATION
> ### FLEURIE DOMAINE DES QUATRE VENTS 1996
> Robe rubis pourpre, lumineuse, au bouquet floral typique ; soyeux au palais, avec une grande pureté de fruit de gamay. Bonne acidité.
> Note ★★★

Georges Duboeuf, le « roi du Beaujolais »

les années 1970-1980, est devenue un fléau potentiel, conduisant les viticulteurs gourmands à la surproduction et ternissant la réputation des célèbres crus des coteaux au nord de la région. Dans les années 1990 la société s'est diversifiée avec l'acquisition d'un vignoble sur la Côte Rôtie au nord du Rhône, et d'un second, plus grand, dans la région voisine de l'Ardèche, réputée pour son délicieux viognier blanc.

CLOS DU VAL

5330 Silverado Trail, P.O. Box 4350,
Napa, Californie 94558, États-Unis.
Tél. : 001 707 259 2231 Fax : 001 707 252 6125
Visites : sur rendez-vous

*F*ondée en 1972, la maison de Stag's Leap est rapidement devenue réputée pour la grande qualité de ses vins de cabernet sauvignon. Clos du Val a très tôt démontré que l'équilibre d'un grand vin comptait plus que sa puissance, ses vins alliant toujours la richesse fruitée de Napa avec une retenue élégamment française. Ceci n'a rien de très étonnant quand on connaît le moteur de la maison : Bernard Portet, un Français élevé à Bordeaux, fils du directeur technique de Château Lafite-Rothschild, créateur, vinificateur et directeur général de Clos du Val.

Un des plus grands vins rouges californiens, le Cabernet Réserve de Clos du Val, doit sa

FICHE D'IDENTITÉ

PROPRIÉTAIRE : Clos du Val
Wine Co. Ltd.
VINIFICATEUR : Bernard M. Portet
SUPERFICIE DU VIGNOBLE : 161,9 ha
PRODUCTION ANNUELLE : 80 000
caisses
CÉPAGE : cabernet sauvignon
ÂGE MOYEN DES VIGNES : 15 ans
POURCENTAGE DE BOIS NEUF :
plus de 50 % selon les années
MEILLEURS DERNIERS MILLÉSIMES :
1996, 1994, 1992, 1991
MEILLEURS ACCORDS VINS ET METS :
rôti de porc ou d'agneau
RESTAURANTS LOCAUX : Napa Valley
Grill & Bistro, Don Giovanni

renommée à la qualité et à la structure inhérentes aux plus beaux raisins de Stag's Leap, ainsi qu'à l'assemblage talentueux d'un peu de merlot avec le cabernet, ce qui conserve le goût fruité après des années de vieillissement. N'hésitez pas à acheter de ce superbe Réserve de 1987, si jamais vous en avez l'occasion à une vente aux enchères.

Nous n'avons que l'embarras du choix devant la série de millésimes excellents entre 1990 et 1996, mais s'il fallait vraiment choisir, citons le 1996

DÉGUSTATION

CLOS DU VAL CABERNET SAUVIGNON RÉSERVE 1993

Robe rouge rubis, profonde et chatoyante mais sans excès.
Des arômes riches et généreux de cassis, enveloppant le palais avec finesse et subtilité.
Acidité excellente laissant présager un bon avenir.
Un vin avec du cachet.
Note ★★★

auquel les tannins majestueux assureront une longue et noble vieillesse, et le 1991, vin d'un raffinement extrême dont les raisins bénéficièrent d'une période de mûrissement particulièrement longue. Personnellement je porterais mon choix sur le 1993 (voir Dégustation), qui ne pouvait être élaboré que par un Français vivant en Californie.

Clos du Val produit aussi d'excellents vins de chardonnay et un délicieux vin de zinfandel. Son vin de pinot noir est très respectable et bien structuré.

Bernard M. Portet, président et vinificateur

FAIRVIEW

P.O. Box 583, Paarl 7824, Afrique du Sud
Tél. : 0027 21 863 2450 Fax : 0027 21 863 2591
*Visites : du lundi au vendredi, de 8 h à 17 h,
le samedi, de 8 h 30 à 13 h*

*A*vec vue sur la montagne de la Table, Fairview est l'une des plus belles propriétés du Cap. Accordée en 1693 à Simon Van Der Stel, la ferme passa de main en main jusqu'à 1936, où elle fut achetée par le grand-père de Charles Back, tout droit arrivé d'Europe de l'Est.

La viticulture y était déjà installée depuis longtemps. On raconte même qu'un médecin local prescrivait des cuillerées du vin de la ferme aux enfants malades. Aujourd'hui, les vins de Fairview sont bien plus que médicinaux : blancs comme rouges offrent des saveurs délicieuses, à des prix

FICHE D'IDENTITÉ

PROPRIÉTAIRE : famille Back
VINIFICATEUR : Charles Back
SUPERFICIE DU VIGNOBLE : 167 ha
PRODUCTION ANNUELLE : 100 000 caisses
CÉPAGES : syrah, pinot noir, pinotage (principaux cépages des vins rouges)
ÂGE MOYEN DES VIGNES : 15 ans
POURCENTAGE DE BOIS NEUF : plus de 30 %
MEILLEUR DERNIER MILLÉSIME : 1993
MEILLEURS ACCORDS VINS ET METS : bœuf et agneau au barbecue, fromages affinés
RESTAURANT LOCAL : Mount Nelson Hotel au Cap

Panorama sur la vallée de Paarl depuis Fairview

abordables grâce aux économies d'échelle. Fairview doit son succès à Charles Back, homme de caractère complexe, à la fois vinificateur passionné et entrepreneur-né. En même temps, c'est un producteur émérite de fromages de chèvre et de brebis, style français et italien, dont certains sont casher.

Planté sur les bas coteaux de Paarl Mountain, le vignoble s'étend sur un terroir de 166 ha de granit décomposé et de grès – sol idéal pour la culture de la syrah. Il donne un vin très agréable, au goût fruité de mûres, mais avec une belle structure permettant un bon vieillissement. Un vin de qualité régulière, couronné de nombreuses médailles d'or. Depuis 1988, tous les millésimes sont réussis, mais le 1993 est exceptionnel.

> ## DÉGUSTATION
>
> ### FAIRVIEW SHIRAZ 1993
>
> Robe rouge carmin, profonde et riche ; arômes de mûres et de cake sortant du four ; le palais affirme les saveurs de mûres d'un vin de syrah du nord du Rhône mais sans les tannins prononcés et le goût poivré. Un vin qui plaît.
>
> Note ★★★★

Le domaine de Fairview, dominé par sa tour

Fairview produit également un excellent vin de pinotage, cépage sud-africain issu d'un croisement de cépages. Parmi les vins blancs, le sémillon est un vin friand avec beaucoup d'ampleur.

Charles Back, vinificateur de Fairview

HAMILTON RUSSELL VINEYARDS

Hemel-en-Aarde Valley, P.O. Box 158, Hermanus,
Cape 7200, Afrique du Sud
Tél. : 0027 283 23595 Fax : 0027 283 21797
*Visites : du lundi au vendredi, de 9 h à 17 h,
le samedi, de 9 h à 13 h*

*P*eu de cépages ont suscité autant de polémiques que le pinot noir. Les traditionalistes vous diront que ce cépage capricieux ne peut révéler tout son potentiel que sur le terroir de la Côte d'or, en Bourgogne. Cependant, cette affirmation, émise par quelques Bourguignons empreints de chauvinisme, s'avère être aussi trompeuse que suffisante, car une petite équipe de vinificateurs à travers le monde produit de plus en plus de vins de

FICHE D'IDENTITÉ

PROPRIÉTAIRE : Anthony Hamilton Russell

VINIFICATEUR : Kevin Grant

SUPERFICIE DU VIGNOBLE : 64,8 ha

PRODUCTION ANNUELLE : 25 000 caisses (y compris pinot, chardonnay et sauvignon blanc)

CÉPAGES : pinot noir, chardonnay

ÂGE MOYEN DES VIGNES : 12 ans (vignoble de Barbaresco)

POURCENTAGE DE BOIS NEUF : environ 30 % (selon les années)

MEILLEURS DERNIERS MILLÉSIMES : 1997, 1996, 1991

MEILLEURS ACCORDS VINS ET METS : avec le pinot noir, venaison et canard rôti aux baies

RESTAURANT LOCAL : Burgundy Restaurant à Hermanus

pinot noir beaucoup plus agréables à boire que certains vins médiocres de la Bourgogne.

Le problème des pinots noirs cultivés à l'extérieur de la Bourgogne, et en particulier à Napa et Sonoma, réside dans leur fruité manifeste, leur bouquet capiteux et une extraction de couleur et de saveur qui en font des vins qui plaisent au grand public, sans

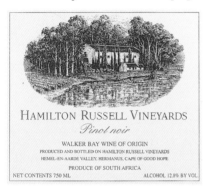

pour autant soutenir la comparaison avec les grands vins, délicats et intenses, créés par les meilleurs producteurs de Bourgogne, à Volnay ou à Chambolle-Musigny.

Sont-ils pour autant destinés à rester des vins de deuxième classe ? J'en doute à en juger aux saveurs de plus en plus subtiles des vins de pinot noir issus du domaine Hamilton Russell. Installée à l'extrémité sud du continent africain où le climat est plus frais, la maison se fixe des objectifs qualitatifs de plus en plus élevés. Anthony Hamilton Russell, son propriétaire, nous explique : « Nous n'essayons pas de produire des vins audacieux et fruités et souvent sans longévité, mais au contraire, des vins de nature complexe et profonde avec un potentiel de développement... Notre ambition est de créer des vins pénétrés du romantisme d'un endroit et de tout le drame d'un millésime. » Au risque de paraître un peu trop poétique, c'est une manière très éloquente d'expliquer que, pour lui, le terroir de ce vignoble de la vallée de Hemel-en-Aarde a la même importance qu'aurait une parcelle de Morey-Saint-Denis pour un viticulteur bourguignon tel que Jacques Seysses.

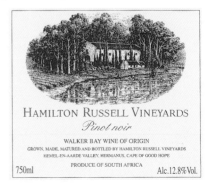

Je me souviens, comme si c'était hier, d'une visite chez Hamilton Russell en octobre 1990. Le vignoble de Hemel est un des plus ravissants que j'aie jamais vus. Proche de l'océan Atlantique et situé sur des collines exposées nord ou nord-est, à moins de 3 km de Walker Bay, le vignoble profite d'un climat maritime frais, semblable à celui d'un autre lieu propice à la culture du pinot noir, Santa Barbara, sur la côte centrale de Californie. Les vignes sont plantées dans seize types de sols différents, peu vigoureux et caillouteux. Vendangés à la main dans de petits cageots, les raisins sont ensuite posés sur des tables de triage avant le pressurage. En caves, un traitement doux et une vinification traditionnelle sont de rigueur, avec une utilisation prononcée de levures naturelles et des meilleures barriques fabriquées par les plus grands tonneliers français.

> ### DÉGUSTATION
>
> ### HAMILTON RUSSELL PINOT NOIR 1996
>
> Robe rubis vermillon, très élégante, d'aspect limpide ; dominés par une première impression de feuilles d'automne et d'herbes de Provence, des arômes très francs, plus complexes, ne laissant paraître aucun fruit en particulier ; palais bien serré, une belle expression de pinot, bonne acidité et longueur.
>
> Note ★★★

Le style des vins de pinot noir de Hamilton Russell serait plutôt bourguignon que soi-disant « Nouveau Monde », avec des couleurs claires, translucides, des arômes frais devenant aériens avec l'âge, une structure étroitement équilibrée, et en bouche longueur et persistance. Mais, bien plus encore, ils révèlent l'expression tout à fait individuelle de leur terroir.

Anthony admet avec candeur que la propriété a dû faire face à la maladie de l'enroulement qui atteint les pieds de vignes. Toutefois, avec la sortie du remarquable 1997, issu d'un raisin exempt de tout virus, Hamilton devrait pouvoir rejoindre les rangs des tout meilleurs producteurs de pinot noir du monde. La propriété produit également un vin de chardonnay exceptionnel et un très bon sauvignon blanc.

DOMAINE MICHEL JUILLOT

B.P. 10 Grande-Rue, 71640 Mercurey
Tél. : 04 85 45 27 27 Fax : 04 85 45 25 52
Visites : tous les jours sauf le dimanche,
de 8 h 30 à 12 h 15 et de 14 h à 18 h

*D*omaine Michel Juillot est le plus beau domaine de Mercurey et certainement le plus dynamique. En 20 ans, Michel Juillot a doublé la taille de sa production, sans pour autant compromettre la qualité. Depuis 1994, son fils Laurent dirige la vinification de main de maître.

Le domaine propose une gamme intéressante de premiers crus de Mercurey, issus des climats des Clos des Barraults, Clos l'Evêque, Les Champs Martins et, du monopole du domaine, le Clos Tonnerre. Chacun reflète des saveurs très

FICHE D'IDENTITÉ

PROPRIÉTAIRE : Michel Juillot
VINIFICATEUR : Laurent Juillot
SUPERFICIE DU VIGNOBLE : 30,4 ha
PRODUCTION ANNUELLE : 12 500 caisses
CÉPAGE : pinot noir
ÂGE MOYEN DES VIGNES : 35 ans
POURCENTAGE DE BOIS NEUF : de 15 à 20 %
MEILLEURS DERNIERS MILLÉSIMES : 1995, 1993, 1990
MEILLEUR ACCORD VINS ET METS : noisettes de chevreuil
RESTAURANT LOCAL : Hôtellerie du Val d'Or à Mercurey

individuelles tout en partageant la même couleur très prometteuse, équilibrant le fruit et le chêne, et marquée d'une minéralité rappelant un bon Nuits-Saint-Georges, mais à un prix beaucoup plus abordable. Michel Juillot produit également un puissant Corton Perrière issu de vignes qu'il possède en fermage.

Le vin est élaboré à Mercurey dans une cuverie très moderne. Suite à une macération à froid pendant 5 jours, pour favoriser l'extraction de la couleur, les raisins fermentent dans des cuves en bois ouvertes pendant 7 jours, à des températures assez élevées. Après une période supplémentaire en contact avec les peaux, le vin est mis en fûts de chêne pour optimiser l'effet du bois pendant la fermentation malolactique. La maison n'utilise qu'une proportion minime de bois neuf, entre 10 à 20 % suivant les caractéristiques du millésime.

À l'occasion du nouveau millénaire, Michel Juillot a lancé un vin issu de vignes âgées de 70 ans. Appelé Mercurey 2000, ce vin est seulement disponible en magnum.

> **DÉGUSTATION**
>
> **MERCUREY CLOS TONNERRE 1995**
>
> Arômes profonds alliés à l'élégance et à la finesse typiques des vins de Juillot ;
> robe rubis ;
> au nez et en bouche, fin mélange de petits fruits rouges avec des notes de gibier et de tannins soyeux ;
> en finale, long et persistant.
> Impeccable.
> Note ★★★

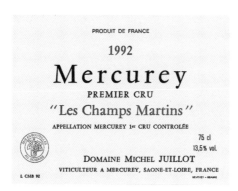

PRODUIT DE FRANCE

1992

Mercurey

PREMIER CRU

"Les Champs Martins"

APPELLATION MERCUREY 1er CRU CONTROLÉE

75 cl

13,5 % vol.

DOMAINE MICHEL JUILLOT

VITICULTEUR A MERCUREY, SAONE-ET-LOIRE, FRANCE

L. CMB 92

LEEUWIN ESTATE

Stevens Road, Margaret River, Australie-Occidentale 6285
Tél. : 0061 9 430 4099 Fax : 0061 9 430 5687
Visites : tous les jours, de 10 h à 16 h 30

*L*eeuwin Estate est l'un des établissements vinicoles pionniers de la région de Margaret River, en Australie-Occidentale. En 1972, Robert Mondavi, négociant en vin américain, identifia le terroir de Leeuwin comme étant particulièrement propice à l'élaboration de grands vins. Les étés y sont agréablement chauds, la région limitée par l'océan sur trois côtés et les sols graveleux.

Sous la tutelle de Mondavi, la famille Horgan transforma son élevage de bétail en vignoble et planta ses premiers ceps en 1974. Le premier millésime fut mis au banc d'essai en 1978.

FICHE D'IDENTITÉ

PROPRIÉTAIRES : Denis et Tricia Horgan

VINIFICATEUR : Robert Cartwright

SUPERFICIE DU VIGNOBLE : 117,4 ha

PRODUCTION ANNUELLE : 500 tonnes

CÉPAGES : cabernet sauvignon (25 %), chardonnay (25 %), pinot noir (10 %), sauvignon blanc (12 %), riesling (28 %)

ÂGE MOYEN DES VIGNES : 75 % du vignoble fut planté en 1974 et 1975 ; le reste en 1994 et 1995

POURCENTAGE DE BOIS NEUF : 100 %

MEILLEURS DERNIERS MILLÉSIMES : 1995, 1992, 1991, 1982

MEILLEURS ACCORDS VINS ET METS : bœuf, agneau, gibier (cabernet sauvignon)

RESTAURANT : du domaine

Vingt ans plus tard, Leeuwin figure parmi les meilleurs producteurs de vins australiens, et parmi les vingt meilleurs mondiaux. Sa contribution à la vie culturelle de son pays rajoute encore de l'éclat à sa réputation bien méritée de producteur de vins de chardonnay remarquables. Leeuwin abrite en effet une prestigieuse collection d'art moderne australien, organise chaque année des concerts dans le cadre naturel d'un amphithéâtre dans la brousse, et son restaurant a reçu plusieurs prix.

Établissement vinicole de Leeuwin Estate

Les critiques ont, à tort, tendance à sous-estimer la valeur du vin de cabernet sauvignon « Art Series ». Le raisin est vendangé à la machine et fermente dans des cuves closes dans lesquelles il est remonté deux fois par jour pour en extraire les tannins et la couleur. La période de macération et de fermentation dure quelque 3 semaines. Puis, le vin est élevé en fûts de chêne français pendant 30 mois, et repose 14 mois avant expédition. Ce vin riche, mais de classe, a atteint sa pleine maturité avec le très grand cru de 1991.

DOMAINE JEAN MARÉCHAL

Grande-Rue, 71640 Mercurey
Tél. : 04 85 45 11 29 Fax : 04 85 45 18 52
*Visites : du lundi au samedi, de 8 h à 12 h et de 13 h à 17 h,
le dimanche, sur rendez-vous*

*L*es vins rouges de Mercurey offrent aux consommateurs prudents le meilleur rapport qualité-prix de toute la Bourgogne. Ce domaine sans prétention en est l'une des meilleures sources. Fidèles à une tradition familiale de viticulture qui remonte au XVIᵉ siècle, Jean Maréchal et son gendre Jean-Marc Bovagne, élaborent des vins de grande longévité demandant une longue mise en cave.

Pour élaborer un vin classique à un prix abordable, il faut une dizaine d'hectares de vignes de bonne maturité plantées sur les meilleurs coteaux du Mercurey, des

FICHE D'IDENTITÉ

PROPRIÉTAIRE : Jean Maréchal
VINIFICATEURS : Jean Maréchal et Jean-Marc Bovagne
SUPERFICIE DU VIGNOBLE : 10 ha
PRODUCTION ANNUELLE : 4 000 caisses
CÉPAGE : pinot noir
ÂGE MOYEN DES VIGNES : 35 ans
POURCENTAGE DE BOIS NEUF : 10 %
MEILLEURS DERNIERS MILLÉSIMES : 1996, 1995, 1993
MEILLEURS ACCORDS VINS ET METS : viandes grillées, volailles et fromages
RESTAURANT LOCAL : Hôtellerie du Val d'Or à Mercurey

rendements raisonnables de raisins vendangés à la main, un pigeage traditionnel, une fermentation longue et lente, un pourcentage modéré de bois neuf. Le vin haut de gamme, la « Cuvée Prestige », est issue de raisins provenant des premiers crus de Clos l'Evêque, Les Naugues et Champs Martins. Le 1993, grand vin de garde d'une année exceptionnelle, se distingue par ses arômes inten-

> ### DÉGUSTATION
> ### MERCUREY CUVÉE PRESTIGE 1995
> Robe rouge rubis soutenu ; arômes intenses de griottes sur un air de framboises ; tannins à la fois fins et puissants, prometteurs d'un vin de grande longévité dont la vie se prolongera loin dans le XXIe siècle.
> Note ★★★★

ses de griottes et ses tannins fins qui contribuent à l'harmonie de l'ensemble. Le 1995 (voir Dégustation) est un grand vin à ne pas ouvrir avant 2003-2005. La famille Maréchal produit également un mercurey blanc très racé, et un excellent bourgogne rouge, tous deux à boire jeunes. Principalement destinés à une clientèle privée en France, ces vins sont aussi exportés vers l'Allemagne et la Grande-Bretagne.

Les caves de Mercurey

Domaine Jean Maréchal, Mercurey

Château Monbrison

33460 Arsac, Margaux
Tél. : 05 56 58 80 94 Fax : 05 56 58 85 33
Visites : sur rendez-vous

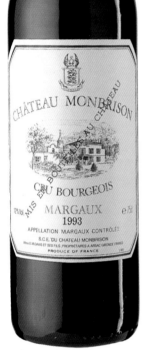

*C*ette ravissante et romantique gentilhommière se niche dans la verdure retirée derrière Margaux, dans la commune d'Arsac. Le château et son vignoble furent achetés en 1921 par Robert Davis, poète et journaliste américain, qui vécut ici avec sa femme Kathleen (née Johnston) jusqu'en 1939, date à laquelle le vignoble fut arraché et la famille partit habiter au Maroc pour la durée de la Deuxième Guerre mondiale. C'est Élizabeth, la fille cadette des Davis, qui fit renaître la propriété en replantant le vignoble en 1963.

FICHE D'IDENTITÉ

PROPRIÉTAIRE : Élizabeth Davis

VINIFICATEUR : Laurent Vonderheyden

SUPERFICIE DU VIGNOBLE : 13,2 ha

PRODUCTION ANNUELLE : 5 800 caisses

CÉPAGES : cabernet sauvignon (50 %), merlot (30 %), cabernet franc (15 %) et petit verdot (5 %)

ÂGE MOYEN DES VIGNES : 30 ans

POURCENTAGE DE BOIS NEUF : jusqu'à 60 %

MEILLEURS DERNIERS MILLÉSIMES : 1996, 1995, 1990, 1989, 1988, 1986, 1985, 1983

MEILLEURS ACCORDS VINS ET METS : viande rouge et gibier

RESTAURANT LOCAL : Le Lion d'Or à Arcins

Démarche judicieuse car les vignes sont admirablement situées sur le Grand Poujeau, un plateau de graviers profonds qu'elles partagent avec le Château d'Angludet. Les deux vins reflètent le même caractère robuste ainsi que la même richesse et finesse florissante lorsque les vignes atteignent une réelle maturité.

Monbrison, aujourd'hui, est une exploitation exemplaire, produisant un des meilleurs crus

DÉGUSTATION

CHÂTEAU MONBRISON 1993

Robe rubis, équilibrée et de qualité, lumineuse mais sans excès ; nez assez fermé mais avec des arômes sous-jacents ronds et fruités ; en bouche, robuste avec des tannins fermes, promesses d'une richesse velouté avec le temps. Un bel effort dans une année difficile. Dernière dégustation en 1997 Note ★★★

bourgeois de bordeaux. Les rendements sont admirablement faibles et la vinification, assurée par Laurent Vonderheyden, le fils d'Élizabeth, hors pair. En 1992, les critiques de la presse vinicole poussèrent un soupir de soulagement lorsque Laurent se montra un successeur digne de son frère Jean-Luc, mort d'une leucémie à la fleur de l'âge.

La vinification est traditionnelle, bien que conduite dans des cuves émaillées et en inox pour un contrôle optimal. Les températures de fermentation s'élèvent jusqu'à 32 °C. Le vin naissant est remonté deux fois par jour avec beaucoup d'aération. Après 20 à 30 jours de

Vue aérienne de Château Monbrison (Margaux)

fermentation pelliculaire, il passe en fûts de chêne pendant 2 ans. Le vin fini est ferme et tannique, mais recelant un soyeux latent et des arômes très fins qui se révèlent après 6 à 10 ans de bouteille. Expression la plus raffinée et la plus satisfaisante d'un vin de Margaux, Monbrison est un vin nettement supérieur à beaucoup de crus classés de cette appellation.

Château Montus

32400 Maumussin-Laguian
Tél. : 05 62 69 74 67 Fax : 05 62 69 70 46
Visites : du lundi au samedi, de 9 h à 12 h et de 14 h à 18 h 30

L'exubérant Alain Brumont, le Georges Dubœuf du sud-ouest de la France, a porté un vin oublié à l'attention d'une clientèle plus large. Il y a trente ans, le madiran était un vin plutôt grossier, élaboré à partir d'un cépage peu raffiné et tannique, le tannat. Aujourd'hui, grâce à des méthodes de vinification plus imaginatives et à l'utilisation habile de bois neuf, Brumont a réussi à le rendre plus souple et plus fin. Le Château Montus, fleuron de la maison, est un choix autrement plus satisfaisant que les clarets vendus trop chers de la Gironde voisine.

Le vignoble fut reconstitué par Brumont en 1981, il s'étend sur 34,39 ha. Les vignes,

FICHE D'IDENTITÉ

PROPRIÉTAIRE : S.A. Domaines et Châteaux d'Alain Brumont

VINIFICATEUR : Alain Brumont

SUPERFICIE DU VIGNOBLE : 34,4 ha

PRODUCTION ANNUELLE : 16 000 caisses

CÉPAGES : tannat (80 %), cabernet franc (10 %), cabernet sauvignon (10 %)

ÂGE MOYEN DES VIGNES : 15 ans

POURCENTAGE DE BOIS NEUF : 50 %

MEILLEURS DERNIERS MILLÉSIMES : 1995, 1990

MEILLEURS ACCORDS VINS ET METS : gibier

RESTAURANT LOCAL : Hôtel de France à Auch

> ### DÉGUSTATION
> ### CHÂTEAU MONTUS
> ### 1994
>
> Belle couleur rubis foncé,
> vigoureux et puissant ;
> robuste, beaucoup d'ampleur
> en bouche, mais surtout bien
> équilibré ; tannins mûrs,
> avec des arômes
> bien arrondis.
> À boire en 2001.
> Note ★★★

dominées par le tannat, avec aussi du cabernet sauvignon et du fer servadou, sont plantées en terrasses en pentes raides, sur un sol de gros cailloux et un sous-sol riche en fer et manganèse – les ingrédients idéaux pour produire des vins rouges à la fois corsés et de couleur intense. Cependant, tout est mis en œuvre pour affiner le caractère robuste et parfois rudement tannique de ce vin de Madiran : égrappage total des raisins et longues périodes de cuvaison de 21 jours, à des températures élevées (30 à 35 °C). Le vin passe ensuite 8 à 16 mois en fûts de chêne plus ou moins neuf. Château Montus est un vin de tout temps dans tous les sens du terme : agréable à boire jeune, il peut se conserver jusqu'à 10 ans, et s'accommode avec les plats les plus variés, allant de la blanquette de veau aux gibiers les plus raffinés.

Il existe également un tirage de prestige de Montus, élaboré à partir de tannat à 100 %, mais la cuvée traditionnelle offre un meilleur rapport qualité-prix.

PENLEY ESTATE

16 Ruthven Avenue, Adelaide, Australie-Méridionale 5000
Tél. : 0061 8 8231 2400 Fax : 0061 2 8231 0589
Visites : sur rendez-vous

*K*im Tolley, descendant de la sixième génération d'une famille de vinificateurs australiens réputés, a travaillé chez Penfolds avant de créer Penley Estate en 1988. Spécialiste des vins rouges, il choisit d'installer son vignoble à Coonawarra pour son climat frais et ses riches sols rouges générateurs des cabernets sauvignons les plus somptueux. Après seulement 10 millésimes, les cabernets de Penley sont arrivés en haut de l'échelle en fruit, bois, complexité vineuse et équilibre classique.

Tous les raisins de Coonawarra, y compris ceux du « Réserve Cabernet Sauvignon »,

FICHE D'IDENTITÉ

PROPRIÉTAIRE : Kim Tolley
VINIFICATEUR : Kim Tolley
SUPERFICIE DU VIGNOBLE : 83 ha
PRODUCTION ANNUELLE : 18 000 caisses
CÉPAGES : cabernet sauvignon (56 %), syrah (22 %), merlot (10 %), cabernet franc (3 %), pinot noir (4 %) et chardonnay (5 %)
ÂGE MOYEN DES VIGNES : 8 ans
POURCENTAGE DE BOIS NEUF : 80 % (Réserve Cabernet)
MEILLEUR DERNIER MILLÉSIME : 1991
MEILLEURS ACCORDS VINS ET METS : rôti de bœuf, grillades, agneau, gibier
RESTAURANTS LOCAUX : Cobb & Co., et The Hermitage à Coonawarra

DÉGUSTATION

PENLEY ESTATE COONAWARRA RÉSERVE CABERNET SAUVIGNON 1992

Rubis riche et dense, sans aucun signe de vieillissement ; délicieux arômes de prunes sucrées et crème ; au palais, une structure considérable avec des saveurs longues et bien définies.
Un vin fascinant.
Dernière dégustation en 1997.
Note ★★★★

sont issus du vignoble de Penley. Vendangés à la machine, les raisins sont fermentés pendant 7 à 10 jours, à températures basses (18 à 20 °C) dans des cuves en acier inoxydable. Le chapeau des raisins en fermentation est maintenu immergé par des planches de bois permettant une bonne extraction de la couleur et du fruit. Le « Réserve Cabernet » est vieilli en fûts de chêne américain et français. Grâce à des arômes riches et souples, ce vin peut se boire assez jeune, mais il développera une complexité quasi minérale après 5 à 8 années de bouteille.

Kym Tolley, fondateur de Penley Estate

Vignoble de Penley Estate à Coonawarra

Penley produit également un délicieux syrah imprégné de mûres, un cabernet-syrah facile à boire, un chardonnay impressionnant et un mousseux méthode traditionnelle.

CHÂTEAU PICHON-LONGUEVILLE (BARON)

33250 Pauillac
Tél. : 05 56 73 24 20 Fax : 05 56 73 17 28
Visites: sur rendez-vous

Depuis son rachat en 1987 par le puissant groupe d'assureurs AXA, l'historique cru classé de Pauillac a retrouvé sa forme d'autrefois, après une période de marasme. Le château a été entièrement restauré pour offrir aujourd'hui des salles de réception somptueuses et des prestations de luxe pour les professionnels.

La nouvelle cuverie, terminée à temps pour accueillir le millésime 1992 et dominant la route des Châteaux, est un complexe

FICHE D'IDENTITÉ

PROPRIÉTAIRE : AXA Millésimes
VINIFICATEURS : Jean-Michel Cazes et Daniel Llose
SUPERFICIE DU VIGNOBLE : 50,6 ha
SECONDE ÉTIQUETTE : Les Tourelles de Longueville
PRODUCTION ANNUELLE : 24 000 caisses
CÉPAGES : cabernet sauvignon (75 %), merlot (24 %), petit verdot (1 %)
ÂGE MOYEN DES VIGNES : 25 ans
POURCENTAGE DE BOIS NEUF : jusqu'à 70 %
MEILLEURS DERNIERS MILLÉSIMES : 1996, 1990
MEILLEURS ACCORDS VINS ET METS : filet de bœuf en croûte, grouse rôtie
RESTAURANT LOCAL : Château Cordeillan-Bages à Pauillac

Récemment rénové,
le château de Pichon-Longueville

futuriste, tenant plus du centre de contrôle de Cap Canaveral que de la cuverie d'un cru classé. Mais, aimé ou détesté, ce complexe a été brillamment conçu pour l'élaboration d'un grand claret. Tous les mouvements de vins sont effectués par gravité pour éviter les effets néfastes de l'oxydation due à l'utilisation de pompes. Le jus pressé et les peaux du raisin se déversent directement dans des cuves de fermentation en acier inoxydable. Le vin naissant descend ensuite dans des barriques pour une période de vieillissement en bois. Parmi les autres améliorations initiées par les directeurs actuels, Jean-Michel Cazes et Daniel Llose du Château Lynch-Bages, mentionnons les vendanges tardives, à la main, pour obtenir des raisins de maturité optimale, et l'utilisation d'un pourcentage plus élevé de bois neuf (jusqu'à 70 % dans les grands millésimes).

Sous le régime Cazes-Llose, Pichon-Baron, appelé ainsi pour le différencier de Pichon-Comtesse, produit à nouveau des vins dignes de leur classification d'antan. Ce sont des pauillacs classiques, alliance parfaite de la puissance et de l'équilibre. 1988 et 1989 furent des millésimes exceptionnels, sans parler de 1990 quand seulement le majestueux Château Latour avait quelques points d'avance. Les Tourelles de Longueville, le second vin de Pichon, est en général une très bonne affaire, offrant une version du grand vin vieillissant plus rapidement et à un prix plus raisonnable.

> **DÉGUSTATION**
>
> **CHÂTEAU PICHON-LONGUEVILLE 1990**
>
> Couleur rubis soutenu ; nez magnifique de cassis, de minéraux et de « boîte à cigares » (Pauillac classique) ; grande concentration de fruit et d'arômes vineux naissants, équilibrés à souhait par le bois ; finale d'une longueur exceptionnelle.
> Un grand vin qui continuera à évoluer jusqu'en 2010.
> Note ★★★★★

CHÂTEAU POUJEAUX

33480 Moulis-en-Médoc
Tél. : 05 56 58 02 96 Fax : 05 56 58 01 25
*Visites : du lundi au vendredi,
de 9 h à12 h et de 14 h à 17 h*

*S*i l'on voulait nommer un claret systéma-tiquement au-dessus de sa catégorie, ce serait certainement celui-ci. Bien que ne figurant pas parmi les crus classés, Poujeaux est un grand vin et l'une des meilleures affaires du Médoc. On raconte que lorsque Georges Pompidou reçut à dîner le baron Élie de Rothschild, propriétaire de Lafite, à la banque familiale à Paris, il servit deux clarets 1953 en carafe. Croyant reconnaître un Lafite, le baron Élie remercia chaleureusement son hôte. « Vous buvez en fait un Poujeaux », répondit Pompidou.

FICHE D'IDENTITÉ

PROPRIÉTAIRE : famille Theil
VINIFICATEUR : François Theil
SUPERFICIE DU VIGNOBLE : 52,6 ha
PRODUCTION ANNUELLE : 25 000 caisses
CÉPAGES : cabernet sauvignon (50 %), merlot (40 %), cabernet franc (5 %), petit verdot (5 %)
ÂGE MOYEN DES VIGNES : 30 ans
POURCENTAGE DE BOIS NEUF : 50 %
MEILLEURS DERNIERS MILLÉSIMES : 1996, 1995, 1990, 1988, 1986, 1985
MEILLEURS ACCORDS VINS ET METS : venaison, perdrix, canard et oie rôtis
RESTAURANT LOCAL : Le Lion d'Or à Arcins

Située au cœur du Médoc, l'appellation Moulis jouit d'un cadre naturel exceptionnel. Château Poujeaux, plus particulièrement, possède 52,61 ha de vignobles d'un seul tenant, plantés sur les meilleurs affleurements de graviers Gûnz, sol de prédilection des grands vins de la région. Ces atouts naturels, complétés par le facteur humain – les frères Theil, qui figurent parmi les viticulteurs

et les vinificateurs les plus passionnés et les plus engagés de Bordeaux – assurent la création d'un vin unique.

Les Theil sont partisans de vendanges tardives favorisant la maturité optimale. La cuverie abrite des cuves en bois, en béton recouvert de résine époxy et en acier inoxydable, toutes thermo-régulées. La durée de la fermentation et de la macération est très longue, de six semaines en moyenne. Les vins de Château Poujeaux sont d'une couleur profonde et soutenue, avec des arômes subtils et des saveurs ponctuées par des tannins doux et fondus, jamais

Le chai de Château Poujeaux

Les vins de Poujeaux possèdent une couleur intense
et profonde, ainsi qu'un bouquet d'arômes subtils.

agressifs. Agréables dans leur jeunesse, ils ne révèlent leur splendeur
qu'au bout de dix ans. Le 1985 est un vin sensuel, le 1990 un
classique, le 1995 et le 1996 figurent parmi les plus réussis des
millésimes.

DÉGUSTATION

CHÂTEAU
POUJEAUX 1994

Un résultat de première classe
dans un assez bon millésime ;
couleur soutenue ; bouquet à la
fois puissant et onctueux ;
en bouche, une explosion de
fruits noirs contrebalancée par
les tannins fins et l'utilisation
talentueuse du chêne.
Une vinification bien maîtrisée.
Note ★★★★

La Rioja Alta

Apartado no. 20, 26200 Haro, Espagne
Tél. : 0034 41 31 02 50 Fax : 0034 41 31 28 54
Visites: sur rendez-vous

*F*ondée en 1890, cette maison familiale possède 300 ha de vignobles dans les meilleurs terroirs de la Rioja Alta. Le rendement moyen à l'hectare est limité à 94 hectolitres. La maison achète également des raisins chez des vignerons traditionnels liés par des contrats à long terme. Les seules concessions faites par l'entreprise à la technologie sont les cuves en acier inoxydable pour la fermentation. La maturation en fûts et en bouteilles suit les méthodes traditionnelles de Rioja – long vieillissement en fûts de chêne américain avec soutirage manuel tous les six mois,

FICHE D'IDENTITÉ

PROPRIÉTAIRE : La Rioja Alta SA
VINIFICATEUR : information non disponible
SUPERFICIE DU VIGNOBLE : 303,6 ha
PRODUCTION ANNUELLE : 66 000 caisses
CÉPAGES : tempranillo, garnacha, mazuelo, graciano
ÂGE MOYEN DES VIGNES : information non disponible
POURCENTAGE DE BOIS NEUF : 10 %
MEILLEURS DERNIERS MILLÉSIMES : 1994, 1989, 1987, 1983, 1978
MEILLEURS ACCORDS VINS ET METS : venaison, cochon de lait rôti
RESTAURANT LOCAL : Beethoven à Haro

suivi d'un long vieillissement en bouteilles. Le stock permanent est de 6,4 millions de bouteilles, soit huit années de ventes, ce qui représente un des meilleurs ratio stock/ventes de tous les producteurs de vins du monde. Ici, la qualité prime, mais elle a un coût.

Les meilleurs vins de Rioja Alta – les Gran Reservas 904 et 890 – sont des vins merveilleusement soyeux et aériens. Cependant, comme le dit Robert Parker, « la demande des restaurants espagnols fait en sorte que ces vins quittent le pays au compte-gouttes ». En commun avec la majorité des grands domaines de Rioja, les meilleurs affaires sont les *reservas* traditionnels, surtout le plus connu, le Viña Ardanza. Le millésime 1989 a connu un succès énorme (voir Dégustation). Ample et vigoureux, avec une note très traditionnelle, très flatteuse, de vanille sucrée grâce à un séjour de 42 mois en fûts de chêne américain, ce vin continuera à évoluer jusqu'aux premières années du XXIᵉ siècle.

SAINTSBURY

1500 Los Carneros Avenue, Napa, Californie, États-Unis
Tél. : 001 707 252 0592 Fax : 001 707 252 0595
Visites : sur rendez-vous, de 10 h à 16 h

*B*eaune aux États-Unis... Ce slogan imprimé sur les sweat-shirts turquoise du domaine Saintsbury n'est pas dénué de sens, car les vins de pinot noir produits ici, souples et parfumés, procurent autant de plaisir qu'un bon vin de Bourgogne. C'était une autre histoire en 1977, quand David Graves et Richard Ward se sont rencontrés à Davis, l'école d'œnologie de l'université de Californie. À cette époque, le pinot noir de Californie était lourd, grossier et tannique. En dégustant une bouteille de Morey-Saint-Denis, Dave et Richard se sont

FICHE D'IDENTITÉ

PROPRIÉTAIRES : David Graves et Richard Ward

VINIFICATEUR : Byron Kosuge

SUPERFICIE DU VIGNOBLE : 20,2 ha

PRODUCTION ANNUELLE : 48 000 caisses

CÉPAGES : pinot noir, chardonnay

ÂGE MOYEN DES VIGNES : entre 5 et 29 ans

POURCENTAGE DE BOIS NEUF : 25 % (garnet), 40 % (carneros), 55 % (réserve)

MEILLEURS DERNIERS MILLÉSIMES : 1995, 1991

MEILLEURS ACCORDS VINS ET METS : grillade d'agneau, thon, saumon, lotte

RESTAURANTS LOCAUX : Celadon à Napa, French Laundry & Domaine Chandon à Yountville

mis à rêver de créer leur propre cave afin de démentir l'idée que le pinot noir de Californie valait à peine mieux qu'un vin de pichet.

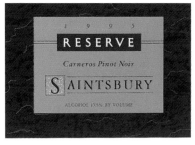

Sachant que ce cépage difficile n'aimait pas la chaleur, ce n'est qu'après beaucoup de recherches qu'ils ont choisi Carneros, ancienne région de pâturages, à cheval sur Napa et Sonoma, où le climat est dominé par le souffle d'air marin frais de l'océan Pacifique et de San Pablo Bay. En 1981, les deux associés se mirent à produire du pinot noir et du chardonnay, d'abord dans un vieux chai en location à Santa Helena, puis ensuite à Los Carneros Avenue, dans un bâtiment moderne en bois ressemblant à une

Byron Kosuge,
vinificateur de Saintsbury

grange. Le projet prit le nom de George Saintsbury, l'irascible académicien anglais qui pontifiait sur ce cépage dans les années 1920, et dont les opinions passaient pour paroles d'évangile. « On aimait assez bien le vieux bonhomme », disent-ils, non sans une pointe d'ironie, mais en faisant le calcul perspicace que le nom est avant tout associé à la bonne vie. À la fin du XXe siècle, Saintsbury est l'un des vins les plus élégants, les plus fiables et les mieux placés au niveau prix, de tous les vins de pinot noir du monde.

Environ 40 % de leurs besoins en pinot noir proviennent de leurs vignobles, le reste est cultivé par des vignerons de la région sous leur supervision. Les raisins sont vendangés à la main et entièrement égrappés. La vinification se fait dans des cuves en acier inoxydable fermées, assez petites pour faciliter la manipulation. Une fermentation à température élevée est de rigueur, atteignant au moins 49 °C, afin d'améliorer l'extraction de la couleur et des tannins et de favoriser le développement des arômes. Le style de la maison Saintsbury reflète un trait marqué mais jamais envahissant de bois neuf.

La maison produit trois styles de pinot noir: garnet, un vin frais, limpide, aux arômes primaires de fruits du verger; carneros pinot, une version plus classique; et le Réserve Pinot Noir, un vin riche et ample à classer parmi les meilleurs vins du monde, surtout le 1991, riche et noble, et le 1995, mûr et intense.

DÉGUSTATION

SAINTSBURY RÉSERVE PINOT NOIR 1995

Un des vins les plus intenses produits par Saintsbury mais merveilleusement équilibré et complet. Robe rubis profond et lumineux; nez succulent, riche et vineux; en bouche, une sensation d'opulence, avec de la mâche et des tannins bien mûrs. Dernière dégustation en 1997. Note ★★★★

David Graves (à gauche) et Richard Ward,
fondateurs de Saintsbury

SHAFER VINEYARDS

6154 Silverado Trail, Napa, Californie 94558, États-Unis
Tél. : 001 707 944 2877 Fax : 001 707 944 9454
Visites: du lundi au vendredi, sur rendez-vous

*C*ette cave créée et dirigée aujourd'hui par John Shafer, est ma préférée en Californie. Éditeur de livres pour enfants à Chicago, John a acheté la propriété en 1972. Faisant preuve de la clairvoyance qui le caractérise, il choisit ces coteaux de Stag's Leap, rafraîchis par les brises qui soufflent en fin d'après-midi de la baie de San Francisco. Il estimait à juste titre que ces collines ondoyantes produiraient des vins plus fins que la région plate, mais plus chic, de Oakville Bench, au centre de la vallée du Napa. Vingt-cinq ans plus tard, John

FICHE D'IDENTITÉ

PROPRIÉTAIRES : John et Doug Shafer
VINIFICATEUR : Elías Fernández
SUPERFICIE DU VIGNOBLE : 55,9 ha
PRODUCTION ANNUELLE : 30 000 caisses
CÉPAGES : cabernet sauvignon, merlot, sangiovese, chardonnay
ÂGE MOYEN DES VIGNES : 12 ans
POURCENTAGE DE BOIS NEUF : 35 % (merlot et sangiovese), 60 % (hillside select)
MEILLEURS DERNIERS MILLÉSIMES : 1994, 1990
MEILLEURS ACCORDS VINS ET METS : saumon grillé, magret de canard (merlot), risotto, pâtes (firebreak), fromages, rosbif (hillside select)
RESTAURANT LOCAL : Domaine Chandon à Yountville

John et Doug Shafer admirant les collines et les vignobles de Shafer, dans la région de Stag's Leap de la vallée du Napa.

et son fils Doug jouissent d'une réputation bien méritée de producteurs de l'une des plus belles gammes de vins de Napa. Entourés de producteurs qui se targuent de pouvoir rivaliser avec le bordeaux en tout, les Shafer apparaissent comme des hommes calmes et confiants en la qualité excellente de leurs produits.

Aujourd'hui le domaine des Shafer s'étend sur 21 ha dans la région de Stag's Leap, plus 27 ha rajoutés par la suite et situés dans la fraîcheur du Carneros. Cette derniè-re acquisition se consacre principalement à la production d'un vin de chardonnay de plus en plus impressionnant: finement boisé, élégant et volumineux au palais. Toutefois ce sont les vins rouges qui font la véritable gloire des Shafer. Les merlots, toujours soyeux et lumineux, s'accordent à merveille avec le

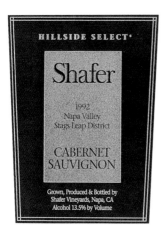

canard. Le firebreak, élaboré à partir du vignoble maison, est un assemblage innovateur à base de sangiovese avec une touche de cabernet sauvignon – un super toscan à la manière des Shafer. Le Hillside Select Cabernet Sauvignon fait la fierté de la maison. Dans les grandes années, comme 1994 et 1990, ce vin de classe internationale, très concentré, aux arômes puissants, se tient bien par rapport à n'importe quelle concurrence.

DÉGUSTATION

CABERNET SAUVIGNON HILLSIDE SELECT 1994

Couleur pourpre rubis profond ; au nez de magnifiques arômes de fruits noirs avec une pointe minérale. L'expression épanouie du cabernet sauvignon mûr : généreux en bouche, charnu mais équilibré à souhait et d'une pureté exceptionnelle.
En un mot : impeccable.
Note ★★★★★

Château Troplong-Mondot

33330 Saint-Émilion
Tél. : 05 57 55 32 05 Fax : 05 57 55 32 07
Visites: sur rendez-vous

*A*u nord-est de Saint-Émilion, cette ancienne et belle propriété, située sur un promontoire du Mondot qui s'élève à une hauteur de 94 m, offre un panorama splendide sur les paysages alentour. Le nom « Troplong-Mondot » commémore Raymond Troplong, sénateur français, juriste et patron des arts, qui fut propriétaire du château de 1852 à 1869 et qui créa des vins de prestige. Ce niveau d'excellence ne fut atteint à nouveau que dans les années 1980, lorsque Christine Valette, aidée

FICHE D'IDENTITÉ

PROPRIÉTAIRE : G.-F. Valette
VINIFICATEUR : Christine Valette
SUPERFICIE DU VIGNOBLE : 30,4 ha
DEUXIÈME ÉTIQUETTE : Mondot
PRODUCTION ANNUELLE : 8 500 caisses (grand vin)
CÉPAGES : merlot (80 %), cabernet franc (10 %), cabernet sauvignon (10 %)
ÂGE MOYEN DES VIGNES : 45 ans
POURCENTAGE DE BOIS NEUF : 70 %
MEILLEURS DERNIERS MILLÉSIMES : 1996, 1995, 1994, 1990
MEILLEURS ACCORDS VINS ET METS : canard rôti au fumet d'olive
RESTAURANTS LOCAUX : Plaisance à Saint-Émilion, Saint-James à Bordeaux

DÉGUSTATION

CHÂTEAU TROPLONG-MONDOT 1994

Robe rubis foncé, d'une intensité profonde ; nez de petits fruits rouges bien mûrs ; au palais, ample, voluptueux et concentré ; proclame son caractère merlot. Un grand vin mais sans aucune dureté tannique.

Note ★★★★

de l'œnologue Michel Rolland, ranima la vinification au château.

Dans une région où la plupart des exploitations ne mesurent pas 10 hectares, Troplong-Mondot, avec ses 30 hectares, passe pour l'un des plus importants domaines de Saint-Émilion.

Plantées en bloc et orientées au sud et sud-est, les vignes tapissent le plateau qui donne sur la commune. D'un âge moyen de 45 ans, les vignes les plus vieilles ont 90 ans. Le rendement en raisin est limité par l'effet combiné des facteurs géologiques – sous-sol de calcaire épais,

couche de terre argileuse, présence de silex et de dépôts calcaires – produisant au final un vin superbe, d'aspect rubis foncé et de goût soutenu et équilibré.

La qualité médiocre des vins de Troplong

avant 1985 était due aux récoltes précoces et aux pratiques de vendanges mécanisées. Le retour à des récoltes manuelles et tardives transforma la qualité de la matière première. Aujourd'hui

l'établissement vinicole est équipé des derniers développements technologiques. Les puristes prétendront peut-être que les vins de Troplong sont des « articles de mode » dont la couleur foncée et le style voluptueux traduisent plus

Château Troplong-Mondot et son vignoble

les impératifs du marché que les qualités du terroir. Cependant, ils procurent énormément de plaisir aux consommateurs pour qui le vin est plutôt une expérience hédoniste qu'intellectuelle.

Joseph Umathum

St. Undraer Strasse, 7132 Frauenkirchen, Autriche
Tél. : 0043 2 172 2440 Fax : 0043 2 172 21734
Visites : sur rendez-vous

*J*oseph Umathum est le viticulteur le plus important du village de Frauenkirchen, au sud-est de Vienne, en allant vers la frontière hongroise. Influence majeure sur le climat local, le lac de Neusiedler donne à la région ses printemps doux, ses étés chauds et ses automnes cléments favorisant la culture de raisins de première qualité. En plus, les sols chauds et perméables de la maison Umathum sont riches en minéraux tel le manganèse, et donc propices à la production d'excellents vins rouges. Au niveau de son potentiel aromatique, le cépage local, le saint-laurent, partage le même cachet que son parent éloigné, le pinot noir, tout en donnant un vin plus coloré et plus corsé .

FICHE D'IDENTITÉ

PROPRIÉTAIRE : Joseph Umathum
VINIFICATEUR : Joseph Umathum
SUPERFICIE DU VIGNOBLE : 18,7 ha
PRODUCTION ANNUELLE : information non disponible
CÉPAGES : saint-laurent, zweigelt
ÂGE MOYEN DES VIGNES : 20 ans
POURCENTAGE DE BOIS NEUF : 30 %
MEILLEUR DERNIER MILLÉSIME : 1992
MEILLEURS ACCORDS VINS ET METS : bécasse rôtie, blanquette de veau

Les sols sont traités avec le plus grand respect pour les conditions naturelles ; des bandes de terre enherbées sont laissées entre les rangées de vignes pour favoriser la faune ; les grappes de raisins sont éclaircies et les pousses fragiles éliminées pour réduire les rendements ; les vendanges sont faites à la main.

Joseph Umathum soignant ses vignes

DÉGUSTATION

ST. LAURENT VOM STEIN VINEYARD, UMATHUM, 1992

Couleur profonde de quetsche ; parfums de baies sauvages, d'épices et de vanille avec une touche due au bois neuf ; un ensemble d'un parfait équilibre, raffiné et long en bouche, sans aucune trace d'extraction excessive.
Remarquable.
Note ★★★★

L'établissement vinicole apporte des soins méticuleux à l'élaboration de ses vins. Une fermentation lente produit des vins subtils, serrés et équilibrés, imprégnés d'un goût de terroir. Ces dernières années, l'un des meilleurs vins à sortir de la maison Umathum fut le Saint-Laurent 1992, issu du vignoble de Vom Stein. Ce vin rouge inspira une telle passion qu'il fut pris pour un Ruchottes-Chambertin, méthode ancienne bien sûr, lors d'une assemblée internationale de connaisseurs en vins.

Joseph Umathum dans sa cave

WARWICK ESTATE

P.O. Box 2, Muldersvlei, 7607, Afrique du Sud
Tél. : 0027 21 884 4410 Fax : 0027 21 884 4025
Visites : du lundi au vendredi, de 8 h 30 à 16 h

*N*iché au fond d'une vallée, entre Paarl et Stellenbosch, Warwick Estate à l'origine faisait partie d'une ferme du XVIIIe siècle nommée « Good Success ». Le colonel Alexander Gordon, fondateur de Warwick, rebaptisa sa partie de ferme pour commémorer le régiment de Warwickshire qu'il commandait pendant la guerre des Boers. Il s'installa en Afrique du Sud et devint agriculteur.

Lorsque Stan Ratcliffe, le propriétaire actuel, acheta Warwick en 1964, il n'y avait pas un seul hectare de vignes. Il planta du cabernet sauvignon, qui se cultive bien dans cette région, et se lança dans l'élaboration des vins après l'arrivée

FICHE D'IDENTITÉ

PROPRIÉTAIRES : Stan et Norma Ratcliffe
VINIFICATEUR : Norma Ratcliffe
SUPERFICIE DU VIGNOBLE : 35,4 ha
PRODUCTION ANNUELLE : 15 000 caisses
CÉPAGES : cabernet sauvignon, merlot, cabernet franc
POURCENTAGE DE BOIS NEUF : 25 %
MEILLEUR DERNIER MILLÉSIME : 1995
MEILLEURS ACCORDS VINS ET METS : pintade à la cocotte, steak au poivre, faisan rôti
RESTAURANT LOCAL : The Cape Grace Hotel au Cap

de sa femme Norma, en 1971. Celle-ci s'intéressa au vin et à son élaboration. Après plusieurs voyages avec Stan à Bordeaux, elle décida de construire son propre chai et de produire des vins rouges de style bordelais. Les premiers plants furent du merlot et du cabernet franc en 1980. Dès 1985, les vignes étaient en pleine production.

Préférant les méthodes d'élaboration anciennes, les Ratcliffe utilisent des pressoirs mécaniques pour un pressurage plus fort, capable d'extraire tous les arômes et les tannins. Le vin ne contient aucun adjuvant artificiel. Ils laissent la lie se déposer naturellement avant de soutirer le vin avec le plus grand soin. Les récoltes des différentes parcelles sont vinifiées séparément, puis vieillies dans des barriques de 220 hl pendant 9 à 12 mois avant l'assemblage final. En 1986, les Ratcliffe ont produit le « Warwick Trilogy », leur premier assemblage bordelais dans le style classique d'un médoc. Un vin excellent sans aucun doute, mais leur vin le plus intéressant est le cabernet franc, gorgé de fruit et l'un des rares exemples de ce cépage à l'état pur hors de France.

> ### DÉGUSTATION
> ### WARWICK ESTATE CABERNET FRANC 1995
>
> Robe couleur rubis soutenu, très profonde et lumineuse ; au nez et en bouche, des arômes richement fruités de mûres avec des touches d'épices ; bon équilibre entre les tannins mûrs et voluptueux, le bouquet vineux et le bois.
>
> Note ★★★

Warwick Estate se niche au fond de la vallée, entre Paarl et Stellenbosch.

Guide du VIN ROUGE

LES ÉTOILES MONTANTES

DOMAINE PAUL BRUNO

Avenida Consistorial 5090, Casila 213, Correo 12
La Relna Penalolen (Santiago) Chili
Tél. : 0056 2 284 5470 Fax : 0056 2 284 5469
Visites : sur rendez-vous

*B*ordeaux arrive au Chili. En 1990, après six années d'observation et de recherche, Bruno Prats, propriétaire du Château Cos d'Estournel, et Paul Pontallier, directeur du Château, achetèrent Margaux et partirent pour le Chili créer l'un des meilleurs vins du Nouveau Monde. Ils acquirent 63 ha de terres en coteaux près de Santiago, où ils fondèrent le Domaine Paul Bruno. Felipe de Solminihac, un Chilien de souche française, s'associa au projet pour diriger l'établissement vinicole.

Situé aux pieds des Andes, dans la région de Quebrada de Macul, dans la vallée du Maipo, le domaine est au Chili ce que le Haut Médoc est à Bordeaux. Le sol du

FICHE D'IDENTITÉ

PROPRIÉTAIRE : Vins d'Aquitaine
VINIFICATEURS : Bruno Prats, Paul Pontallier et Felipe de Solminihac
SUPERFICIE DU VIGNOBLE : 62,8 ha
PRODUCTION ANNUELLE : 25 000 caisses
CÉPAGES : cabernet sauvignon, merlot
ÂGE MOYEN DES VIGNES : 50 ans
POURCENTAGE DE BOIS NEUF : 30 %
MEILLEURS DERNIERS MILLÉSIMES : 1995, 1994
MEILLEURS ACCORDS VINS ET METS : navarin d'agneau, plats légèrement épicés du nord de l'Inde

vignoble est constitué d'alluvions, avec une couche supérieure de cailloux ronds qui retiennent la chaleur du soleil et favorisent la bonne maturation des raisins. En revanche, les nuits sont fraîches, au profit d'une longue période végétative. Planté principalement en cabernet sauvignon, le vignoble comprend une petite proportion de merlot

> ### DÉGUSTATION
>
> ## DOMAINE PAUL BRUNO CABERNET SAUVIGNON 1995
>
> Robe pourpre rubis ; arômes de cassis avec une touche de fumée ; légèrement boisé, puissance moyenne, une alliance discrète de fruits du verger et de menthe.
> Excellent
> Note ★★★

qui entra dans l'élaboration des vins au moment du nouveau millénaire. Comme ailleurs au Chili, et grâce à un environnement qui, pour le moment, reste sans insectes nuisibles, les vignes ne sont ni greffées, ni traitées, exception faite d'un peu de sulfatage.

Le domaine désire conserver le charme intrinsèque et le fruité naturel des vins rouges chiliens, tout en développant leur concentration et leur aptitude à vieillir. Vendangés à la main et égrappés, les raisins sont ensuite fermentés en cuve d'acier inoxydable, avant de subir une macération pelliculaire de 14 jours. Depuis le millésime 1995, seconde année de production sous la nouvelle équipe, les vins sont vieillis en fûts de chêne de l'Allier. Les cabernets du Domaine Paul Bruno sont essentiellement caractérisés par une structure tannique dissimulée sous la richesse fruitée. Ce sont des vins qui plaisent tout en ayant beaucoup de fermeté – combinaison très attractive, surtout si l'on recherche un vin de caractère pour accompagner un bon repas dans un restaurant.

CABALLO LOCO

Valdivieso, Lontus, Chili
Non ouvert au public

*C*aballo Loco, « cheval fou » en espagnol, est le sobriquet de Jorge Cordech, la force motrice des vins de Valdivieso. Cette dynamique entreprise chilienne capta l'imagination du monde du vin avec ses superbes vins de cabernet, merlot et pinot noir *reservas*, vieillis en barriques. Aujourd'hui, couronnant des années d'efforts, le Caballo Loco, cuvée de prestige de la maison, apporte la preuve que l'Amérique du Sud peut rivaliser avec les meilleurs vins rouges du monde.

Afin d'obtenir une puissance maximale alliée à la finesse, Caballo Loco est un assemblage de cépages nobles (non spécifiés, mais comprenant presque certainement de grandes

FICHE D'IDENTITÉ

PROPRIÉTAIRE : Jorge Cordech

VINIFICATEURS : P. Debrus et P. Hobbs

SUPERFICIE DU VIGNOBLE : information non disponible

PRODUCTION ANNUELLE : 5 000 caisses

CÉPAGES : assemblage de cépages de qualité (sans précision)

ÂGE MOYEN DES VIGNES : 50 ans et plus

POURCENTAGE DE BOIS NEUF : plus de 75 %

MEILLEURS DERNIERS MILLÉSIMES : Caballo Loco N° 1

MEILLEUR ACCORD VINS ET METS : gigot d'agneau de printemps aux haricots blancs

Jorge Cordech (à gauche), propriétaire de Caballo Loco

quantités de cabernet et de merlot). Pas de millésime, mais un assemblage de plusieurs grandes années pour laisser carte blanche aux producteurs de Valdivieso de ne choisir que les meilleures. Parfaitement consommable dès son expédition, il bénéficie d'une mise en cave plus ou moins prolongée. Paul Hobbs, le consultant californien qui travaille également avec Catena, collabora avec le maître de chai Philippe Debrus à l'élaboration de la cuvée 1997, qui devait être la première de plusieurs cuvées dans les années à venir.

CAPE MENTELLE

P.O. Box 110, Margaret River, Australie-Occidentale 6285
Tél. : 0061 97 57 32 66 Fax : 0061 97 57 32 33
Visites : sur rendez-vous

*D*e toutes les étoiles montantes du Nouveau Monde, la palme dans le domaine des vins revient à David Hohnen. Vinificateur australien couronné de succès, il fit des études de viticulture à Davis, en Californie, avant de fonder les vignobles de Cape Mentelle en 1976, avec son frère Mark. Le site de Margaret River s'avéra idéal. La fraîcheur du climat, grâce à l'influence de l'océan Indien, et les sols de graviers engendrèrent rapidement d'excellents vins rouges, surtout ceux issus du cabernet et de la syrah. Hohnen acheta ensuite le vignoble de Cloudy Bay à Marlborough en Nouvelle-Zélande.

Les vins rouges de Cape Mentelle sont produits pour être buvables dès leur

FICHE D'IDENTITÉ

PROPRIÉTAIRES : D. et M. Hohnen
VINIFICATEUR : David Hohnen
SUPERFICIE DU VIGNOBLE : 101,2 ha
PRODUCTION ANNUELLE : 30 000 caisses
CÉPAGES : cabernet sauvignon, merlot, syrah, zinfandel
ÂGE MOYEN DES VIGNES : 20 ans
POURCENTAGE DE BOIS NEUF : plus de 50 %
MEILLEURS DERNIERS MILLÉSIMES : 1995, 1991
MEILLEURS ACCORDS VINS ET METS : viande grillée, canard rôti

mise en vente. Dans leur jeunesse, les vins de cabernet et de syrah ont des saveurs exubérantes de fruits noirs et des tannins vifs, mais ils vieillissent de façon admirable. Le vin de cabernet sauvignon 1979 se boit encore très bien : des arômes de café grillé, de quetsches et de prunes, un bouquet assez puissant et une finale fascinante. Le vin de cabernet 1982 a des

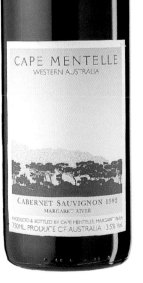

arômes de cassis d'une magnifique ampleur, renforcés par des tannins souples. Il se conservera facilement durant ce siècle. Le vin de syrah a connu beaucoup de succès ces dernières années, surtout le merveilleux 1993, tout en églantine et fumée de bois, avec d'opulents parfums de pouding aux prunes, une attaque douce mais une finale riche et fine. Hohnen produit également d'excellents vins de zinfandel, dominés par la cerise noire.

> ### DÉGUSTATION
>
> ## CAPE MENTELLE
> ## SHIRAZ 1995
>
> Robe pourpre d'un rubis profond presque opaque ; arômes et saveurs de framboises et de prunes avec une pointe de crème ; structure sérieuse d'un vin viril dont les tannins ont suffisamment de mâche pour assurer un développement intéressant en bouteille.
> Note ★★★★

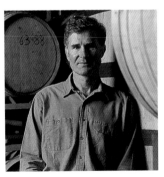

David Hohnen,
vinificateur de Cape Mentelle

CHAMPY PÈRE ET CIE

5, rue du Grenier-à-Sel, 21202 Beaune
Tél. : 03 80 25 09 99 Fax : 03 80 25 09 95
Visites : tous les jours à 10 h 30

*I*l peut paraître bizarre de qualifier d'étoile montante une vieille et vénérable maison de Bourgogne, mais cette histoire comporte une tournure intéressante. Champy, qui possède toujours ses premières listes de prix datant de 1720, est certainement le plus ancien négociant éleveur de Beaune. Propriété du colonel Merat pendant la majeure partie du XXe siècle, Champy a de quoi ravir tout antiquaire. Le colonel était un cavalier appréciant tout particulièrement le polo et qui préserva l'ambiance des bureaux et du cellier du Second Empire. La maison regorge donc

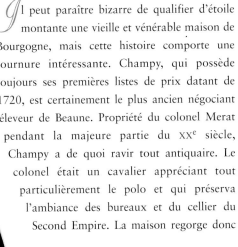

FICHE D'IDENTITÉ

PROPRIÉTAIRE : Henri Meurgey et Associés

VINIFICATEURS : Michel Écard

SUPERFICIE DU VIGNOBLE : 6,1 ha

PRODUCTION ANNUELLE : 70 000 caisses

CÉPAGE : pinot noir

ÂGE MOYEN DES VIGNES : 30 ans

POURCENTAGE DE BOIS NEUF : plus de 30 %, selon le millésime et le vin

MEILLEURS DERNIERS MILLÉSIMES : 1996, 1995, 1993, 1991, 1990

MEILLEURS ACCORDS VINS ET METS : pigeon, poulet

RESTAURANT LOCAL : Le Jardin des Remparts à Beaune

Les caves de la Maison Champy

de touches originales. Dans un coin, un chaudron en cuivre à double paroi, longtemps utilisé pour chauffer le moût. Dans un autre, un tarif de 1882 proposant de la gelée de Richebourg. Dans un autre encore, un gigantesque foudre de chêne converti en salle de dégustation, arborant des appliques dont les inscriptions évoquent des personnages importants. En 1990, à la mort de Merat, Champy fut racheté par la Maison Louis Jadot, qui garda les vignobles mais revendit la société à un courtier bourguignon réputé, Henri Meurgey, et à sa famille.

Les Meurgey sont très à l'écoute. Mieux que personne, ils connaissent les meilleurs producteurs de vins de Bourgogne et ceux qui restent en deçà de leurs possibilités. Leur maison de courtage, DIVA, gère l'exportation de trente-cinq des meilleurs domaines de la Côte d'or et traite avec quelque cent cinquante petits producteurs

Salle de dégustation de Champy,
un ancien et gigantesque foudre de chêne reconverti

Emballage des vins dans les caves de Champy

supplémentaires. À la fin des années 1980, la famille voulait marquer ses sélections de son empreinte. Quand l'occasion se présenta d'acheter une petite maison aussi traditionnelle que Champy, elle la saisit. La firme est dirigée par le fils d'Henri, Pierre, tout aussi dévoué à la production d'un véritable bourgogne que son père, mais avec une expérience plus large de l'informatique par sa carrière précédente.

La gamme des bourgognes de Champy offre une expression authentique de la mosaïque des arômes divers de la Côte d'or. Ici, un corton a le goût d'un corton, un gevrey le goût d'un gevrey ; les vins parlent par eux-mêmes et ne sont pas limités par les contraintes d'un « style maison ». S'il y a un trait commun dans les vins de Champy, c'est dans l'agilité et la légèreté de la vinification qui font ressortir les délicieux arômes et l'élégance soyeuse du bourgogne classique.

DÉGUSTATION

CORTON BRESSANDES 1995

Robe couleur cerise ; d'une jeunesse manifeste mais doué d'un long potentiel de vieillissement avec des arômes déjà très purs. Sa texture soyeuse dément l'étreinte serrée des tannins mûrs et les saveurs épicées en finale. Subtilement boisé (chêne). À boire à partir de 2001. Note ★★★

BODEGAS PALACIO DE LA VEGA

31263 Dicastillo Navarra, Espagne
Tél. : 0034 48 52 70 09 Fax : 0034 48 52 73 33
Visites : sur rendez-vous

Dans le cadre du magnifique palais néo-gothique de la comtesse de la Vega del Pozo, les installations de vinification allient technologie moderne à tradition. Le palais, situé à Dicastillo, au cœur de la Navarre, domine le paysage environnant. Les vins fins, issus de cette cave de création relativement récente, sont déjà réputés pour leur finesse, leur élaboration soigneuse et leur prix raisonnable.

Le cabernet sauvignon est le cépage dominant (70 %) dans l'assemblage du crianza. Arrondi et affiné avec 30 % de tempranillo, ce vin rouge est un gagnant

FICHE D'IDENTITÉ

PROPRIÉTAIRE : Inversiones Arnotegul, S.L.

VINIFICATEUR : Alicia Eyaralar

SUPERFICIE DU VIGNOBLE : 303,6 ha

PRODUCTION ANNUELLE : 100 000 caisses

CÉPAGES : cabernet sauvignon, merlot, tempranillo, chardonnay

ÂGE MOYEN DES VIGNES : information non disponible

POURCENTAGE DE BOIS NEUF : plus de 50 % (chêne américain et français)

MEILLEUR DERNIER MILLÉSIME : 1994

MEILLEURS ACCORDS VINS ET METS : dinde rôtie, agneau épicé, fromage de brebis

dans la catégorie des prix moyens (moins de 100 F la bouteille) ; assez souple pour accompagner une dinde rôtie, il a également assez de caractère pour s'accorder avec un plat d'agneau épicé ou un fromage affiné de lait de brebis. Les raisins sont cultivés sur le sol de calcaire et de graviers de Ribera Alta et Tierra Estalla. Le vin est fermenté en cuves d'acier inoxydable pendant 10 jours, puis vieilli en fûts de chêne américain pendant 12 mois.

La cave produit également un vin 100 % tempranillo aux arômes intenses et fruités de baies, un vin de merlot vieilli en fûts de chêne français, riche et charnu, et un séduisant vin de chardonnay au caractère marqué d'agrumes et de pommes.

> ### DÉGUSTATION
>
> ## PALACIO DE LA VEGA CRIANZA 1994
>
> Couleur rubis moyennement soutenue ; bouquet de petits fruits rouges avec des nuances discrètes de chêne ; au palais, une attaque très attirante et très douce étayée de tannins fins. Excellente affaire.
> Note ★★★

CHÂTEAU DU CÈDRE

Bru, 46700 Vire-sur-Lot
Tél. : 05 65 36 53 87 Fax : 05 65 24 64 36
Visites : sur rendez-vous, du lundi au vendredi, de 10 h à 14 h

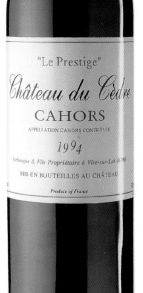

Le vin rouge de Cahors jouit d'une excellente réputation. Rien de mieux pour accompagner un pot-au-feu par une froide journée d'hiver. À ma connaissance, le meilleur échantillon de ce vin est issu de ce domaine de Vire-sur-Lot, fondé par le grand-père des œnologues et vignerons Pascal et Jean-Marc Verhaeghe. Replanté progressivement à la suite des gelées dévastatrices de 1956, le vignoble prospère aujourd'hui sur les coteaux de Bru. Le terroir est composé de deux types de sols, cailloux argilo-calcaire et grès rouge, très différent des plaines en contrebas qui produisent des vins sans matière.

FICHE D'IDENTITÉ

PROPRIÉTAIRES : Pascal et Jean-Marc Verhaeghe

VINIFICATEUR : Pascal Verhaeghe

SUPERFICIE DU VIGNOBLE : 25,3 ha

PRODUCTION ANNUELLE : 12 000 caisses

CÉPAGES : malbec (80 %), merlot (10 %), tannat (10 %)

ÂGE MOYEN DES VIGNES : 25 ans

POURCENTAGE DE BOIS NEUF : 33 %

MEILLEURS DERNIERS MILLÉSIMES : 1994, 1993

MEILLEURS ACCORDS VINS ET METS : pot-au-feu, lièvre à l'étouffée, fromages affinés

RESTAURANTS LOCAUX : Le Balance à Cahors, Le Pont de l'Ousse à Lacave

La Cuvée Prestige, issue des 13 ha de vignes âgées de plus de 20 ans, est composée de 90 % de malbec et 10 % de tannat. La vinification reste très traditionnelle, avec un égrappage total des raisins, des vendanges à la main, des méthodes anciennes de remontage, des températures de fermentation élevées, jusqu'à 32 °C, et de longues périodes de cuvaison allant jusqu'à un mois. Tous ces facteurs, alliés à un rendement limité, contribuent à l'élaboration d'un majestueux vin rouge, puissant et souple, qui vieillit bien pendant 10 à 15 ans. Des millésimes récents, le 1993, ferme et durable, et le 1994, somptueux et complexe, étaient très réussis. Ce sont de très bonnes affaires, surtout comparées aux grands vins de Bordeaux ou de la vallée du Rhône. Les frères Verhaeghe produisent aussi un délicieux vin blanc issu du viognier.

DÉGUSTATION

CAHORS CUVÉE PRESTIGE 1994

Robe rubis magnifique, soutenue et chatoyante ; nez superbe de fruits noirs, une touche de goudron en parfaite harmonie avec le bois de chêne ; au palais ample et puissant, avec des tannins fondus et une fin de bouche austère qui en font un contraste idéal aux plats richement savoureux. Remarquable.
Note ★★★★

ECHEVERRÍA

Avenida Américo Vespucio Norte 568,
Las Condes, Santiago, Chili
Tél. : 0056 2 207 43 27 Fax : 0056 2 207 43 28
Visites : sur rendez-vous

*F*ournisseur de raisins et de vins en vrac des principaux producteurs de vins chiliens pendant une grande partie du XXe siècle, la famille Echeverria a commencé à mettre ses meilleurs vins en bouteilles à la propriété à partir de 1992. Cette maison très sérieuse attache une grande importance au contrôle de qualité lors de chaque étape de l'élaboration du vin, en accordant la priorité à la gestion du vignoble et au choix des dates de vendanges.

L'établissement vinicole est situé aux environs de Molina, dans la vallée centrale du Chili, à 192 km de Santiago. Le vignoble de 76 ha, dont la moitié est plantée en cabernet sauvignon, est d'un seul tenant, ce qui encourage l'homogénéité du style et de la

FICHE D'IDENTITÉ

PROPRIÉTAIRE : famille Echeverría
VINIFICATEUR : famille Echeverría
SUPERFICIE DU VIGNOBLE : 76 ha
PRODUCTION ANNUELLE : 8 500 caisses
CÉPAGE : cabernet sauvignon
ÂGE MOYEN DES VIGNES : 50 ans
POURCENTAGE DE BOIS NEUF : 40 %
MEILLEUR DERNIER MILLÉSIME : 1996
MEILLEURS ACCORDS VINS ET METS : viandes blanches rôties, grillades de bœuf, ragoût de gibier au vin rouge

qualité. Les sols de terreau et d'argile, de moyenne à faible fertilité, reposent sur un sous-sol graveleux bien drainé. Le climat méditerranéen bénéficie d'importantes amplitudes allant jusqu'à 20 °C entre les températures du jour et celles de la nuit. Les raisins sont vendangés à la main, posés soigneusement dans des cagettes de 14 kg. Les moûts des cabernets sont fermentés pendant 7 à 10 jours dans des foudres de chêne d'une capacité de 295 hl. Suivent deux semaines supplémentaires de macération pelliculaire. Vieillis dans des barriques de chêne français d'une capacité de 220 hl pendant 24 mois, les vins passent les derniers 8 mois en bouteilles avant d'être expédiés.

> ## DÉGUSTATION
> ### ECHEVERRÍA CABERNET SAUVIGNON FAMILY RESERVE 1993
> Couleur rubis brillant ; nez appétissant de cassis et de crème ; texture exquise avec des arômes en profusion, purs, délicats et persistants. Dégusté à l'aveugle, il pourrait facilement être confondu avec un bourgogne, bien que son caractère cassis le rapproche plutôt d'un cabernet.
> Note ★★★★

Cette méthode d'élaboration très méticuleuse se ressent à la dégustation. Le Cabernet Sauvignon Family Reserve 1993 est un vin de classe mondiale, avec des arômes soyeux et une réelle complexité.

Vieilles vignes de cabernet sauvignon au Chili

BODEGAS ESMERALDA

Guatemala 4565, C.P. 1425 Buenos Aires, Argentine
Tél. : 0054 1 833 2080 Fax : 0054 1 832 3086
Visites : vignoble de Mendoza, sur rendez-vous

*L*e docteur Nicolas Catena, descendant d'une famille ancienne de Mendoza et propriétaire de Bodegas Esmeralda, est un pionnier de l'industrie vinicole en Argentine. Dans les années 1970, ses vins de table bon marché étaient les premiers produits sur le marché. Depuis deux décennies, il joue un rôle de catalyseur dans l'amélioration des vins de cabernet sauvignon, malbec et chardonnay, s'évertuant à en faire des vins qui rivalisent avec les meilleurs vins californiens et de l'Ancien Monde.

En 1988, s'associant avec Paul Hobbs, vinificateur talentueux de Simi Estate en Californie, Catena découvrit que les cabernets de Mendoza possédaient une grande complexité, une intensité d'arômes et un

FICHE D'IDENTITÉ

PROPRIÉTAIRE : Dr Nicolas Catena
VINIFICATEUR : José Galante
SUPERFICIE DU VIGNOBLE : 182 ha
PRODUCTION ANNUELLE : 20 000 caisses
CÉPAGE : cabernet sauvignon
ÂGE MOYEN DES VIGNES : 15 ans
POURCENTAGE DE BOIS NEUF : plus de 50 %
MEILLEURS DERNIERS MILLÉSIMES : 1995, 1991
MEILLEURS ACCORDS VINS ET METS : viandes au barbecue, ragoût, fromages affinés

Vignoble d'Agrelo de Bodegas Esmeralda

bouquet d'une élégance considérable. Il en vint à penser qu'avec des rendements faibles, son meilleur vignoble d'Agrelo pourrait produire des vins qui vieilliraient comme les meilleurs vins de Bordeaux ou de Napa. Malheureusement, l'image des vins argentins était celle de vins de carafe bon marché. On lui conseilla de créer un vin de cabernet avec le même goût qu'un vin californien mais coûtant moitié prix. C'est ce qu'il fit avec le Catena Cabernet 1991 qui reçut d'excellentes critiques de la presse vinicole.

DÉGUSTATION

ALAMOS RIDGE
CABERNET
SAUVIGNON 1995

Robe quetsche foncée,
appétissante
avec des nuances mauves ;
nez chaleureux,
à l'aveugle il pourrait s'agir d'un
grand vin du sud du Rhône ;
arômes intenses de fruits
sauvages cuits (prunes, mûres) ;
au palais, des saveurs amples et
fluides, droit et équilibré avec
une jolie finale tannique.
Excellente affaire.
Note ★★★★

Plus récemment, Catena lança le Alamos Ridge Cabernet Sauvignon, l'un des meilleurs rapports qualité-prix au monde. De la cueillette au produit fini, les deux vins sont élaborés pour répondre aux critères les plus exigeants. Les vendanges sont faites à la main, les vins fermentés conservent les peaux des raisins pendant un mois avant d'être vieillis dans des barriques de chêne français pendant neuf mois. Suit la mise en bouteilles et une période de repos de deux ou trois ans avant la mise en vente.

José Galante, vinificateur

TIM GRAMP WINES

Mintaro Road, Watervale, Australie-Occidentale 5452
Tél. : 0061 8 84 31 33 38 Fax : 0061 8 84 31 32 29
Visites : du lundi au vendredi et jours fériés, de 10 h 30 à 16 h 30

*N*e possédant que quelques hectares de vieilles vignes, et sélectionnant soigneusement ses raisins chez un ou deux viticulteurs de la région de Southern Vales, Tim Gramp est l'un des plus petits producteurs de vins de l'Australie. À ce titre, il élabore des vins doués d'un caractère dont les grands producteurs ne peuvent que rêver. En 1996, je restai bouche bée devant un succulent McLaren Vale Grenache, l'un des meilleurs vins que j'aie jamais dégustés à l'extérieur de la vallée du Rhône et, je dirais même, nettement supérieur à certains vins issus de cette région.

FICHE D'IDENTITÉ

PROPRIÉTAIRE : Tim Gramp
VINIFICATEUR : Tim Gramp
SUPERFICIE DU VIGNOBLE : 2 ha
PRODUCTION ANNUELLE : 55 tonnes
CÉPAGES : grenache, syrah, cabernet sauvignon
ÂGE MOYEN DES VIGNES : 20 ans
POURCENTAGE DE BOIS NEUF : 80 % (cabernet sauvignon et shiraz)
MEILLEURS DERNIERS MILLÉSIMES : 1996, 1994
MEILLEUR ACCORD VINS ET METS : canard au curry rouge (grenache)
RESTAURANT LOCAL : Mintaro Mews à Mintaro

Gramp produit un excellent vin de cabernet sauvignon à partir de ses propres vignes de 20 ans d'âge. Les rouges sont fermentés intégralement avec les peaux dans des cuves de fermentation ouvertes d'une contenance de 7 tonnes – la syrah et le cabernet sauvignon sont vieillis en barriques de chêne américain.

Les vins de Gramp sont maintenant disponibles en Grande-Bretagne auprès d'Adnams de Southwold.

TENUTA DELL'ORNELLAIA

Via Bolgherese 191, 57020 Bolgheri, Italie
Tél. : 0039 565 76 21 40 Fax : 0039 565 76 21 44
Visites : sur rendez-vous

*L*odovico Antinori appartient à une famille qui fait partie de la noblesse marchande de Florence depuis 1385, quand elle souscrivit à la « Guilde florentine » des marchands de vin. Voici sept cents ans qu'au moins un membre de cette famille travaille dans la viticulture. Au cours des XVIIIe et XIXe siècles, leurs terres de Toscane furent sensiblement étendues. Les Antinori acquirent une expérience considérable dans l'élaboration des vins et fondèrent leur société de négoce au début du XXe siècle.

Lodovici travailla pendant un temps pour l'affaire familiale, avant de céder à

FICHE D'IDENTITÉ

PROPRIÉTAIRE : marquis Lodovico Antinori
VINIFICATEUR : Tibor Ga'l
SUPERFICIE DU VIGNOBLE : 136,5 ha
PRODUCTION ANNUELLE : 29 000 caisses (1 500 de Masseto)
CÉPAGES : cabernet sauvignon (42 %), merlot (40 %), cabernet franc (5 %), sauvignon blanc (13 %)
ÂGE MOYEN DES VIGNES : 35 ans
POURCENTAGE DE BOIS NEUF : 33 % (Ornellaia), 100 % (Masseto)
MEILLEURS DERNIERS MILLÉSIMES : 1995, 1993, 1990
MEILLEURS ACCORDS VINS ET METS : gibier, rôti, agneau, faisan, fromages
RESTAURANT LOCAL : La Pineta, Scacciapensieri à Gambero Rosso

sa nature un peu farouche et de partir faire son propre chemin. Au début des années 1980, il planta un vignoble assez conséquent à Tenuta dell'Ornellaia, une propriété familiale à Bolgheri sur la côte méditerranéenne, à 96 km de Florence. D'une beauté sauvage presque incomparable, cette partie du Maremma offre un terrain agricole riche avec un potentiel vinicole important. L'oncle de Lodovico, le marquis Incisa della Rochetta, attira l'attention du monde du vin sur Bolgheri lorsqu'il entreprit des travaux novateurs à Tenuta San Guido, et créa le Sassiciaia, un vin à dominance de cabernet, aujourd'hui reconnu comme l'un des grands vins rouges du monde.

Lodovico Antinori suivit l'exemple de son oncle à Ornellaia, la propriété voisine, bien que la gamme et le style des vins soient tout à fait différents. S'étant renseigné auprès de personnes comme Michel Rolland et Danny Schuster, autorités internationales dans les domaines vinicoles et viticoles, il lui paraissait évident que le caractère des sols de Bolgheri était semblable à ceux de Saint-Émilion et de Pomerol à Bordeaux. L'originalité du vignoble d'Ornellaia, dans un contexte italien, est la présence significative du cépage merlot. Bien que représentant une partie importante (40 %) de l'assemblage de l'Ornellaia, fleuron des vins rouges de la maison, le merlot atteint son apogée dans le secteur vieilles vignes de la propriété.

DÉGUSTATION

MASSETO 1993

Robe violette, profonde et juvénile ; grande pureté d'arômes primaires de merlot ; saveurs équilibrées avec une pointe de réglisse et de chêne ; belle persistance en finale.

Note ★★★★

Depuis 1987, cette parcelle a fourni la matière première pour une cuvée 100 % merlot nommée Masseto, à mon avis le vin le plus intéressant et distinctif de toute la production de la maison. Le 1993 (voir Dégustation) est une réussite brillante. Les raisins ont été vendangés sous un ciel ensoleillé de septembre. Suite à une macération prolongée de 20 jours, le vin s'est décanté naturellement en cuve avant de passer en barriques neuves pour une période de vieillissement d'environ deux ans. Le résultat est un vin de belle structure, au fruité très pur, et d'un équilibre parfait.

Château Phélan Ségur

33180 Saint-Estèphe
Tél. : 05 56 59 30 09 Fax : 05 56 59 30 04
Visites : sur rendez-vous

*C*hâteau très élégant du XIXᵉ siècle perché à l'extrémité sud de Saint-Estèphe, Phélan Ségur surplombe l'estuaire de la Gironde. Il fut construit par Frank Phélan, un homme d'affaires irlandais qui émigra à Bordeaux pour y devenir viticulteur. L'intégration totale de l'architecture du château et des dépendances qui abritent les caves reflète sa vision d'un domaine viticole idyllique.

Au début des années 1980, la propriété traversa une très mauvaise période. Elle fut

FICHE D'IDENTITÉ

PROPRIÉTAIRE : Xavier Gardinier
VINIFICATEUR : Thierry Gardinier
SUPERFICIE DU VIGNOBLE : 65,8 ha
SECONDE ÉTIQUETTE : Frank Phélan
PRODUCTION ANNUELLE : 25 000 caisses
CÉPAGES : cabernet sauvignon (60 %), merlot (35 %), cabernet franc (5 %)
ÂGE MOYEN DES VIGNES : 30 ans
POURCENTAGE DE BOIS NEUF : jusqu'à 50 %
MEILLEURS DERNIERS MILLÉSIMES : 1996, 1995, 1990, 1989
MEILLEURS ACCORDS VINS ET METS : bœuf, agneau, gibier
RESTAURANTS LOCAUX : Château Cordeillan-Bages, Hôtel de France et de l'Angleterre à Pauillac

vendue en 1985 par la famille Delon à Xavier Gardinier, ancien patron du champagne Pommery. Coulé dans le même moule que Frank Phélan, Xavier Gardinier a tout de suite pris les choses en main pour décider du destin viticole de la maison. Face à plusieurs millésimes (1982 à 1985) dénaturés par des arômes chimiques, il retira ces vins du marché et poursuivit en

> ### DÉGUSTATION
> ### CHÂTEAU PHÉLAN SÉGUR 1995
>
> Robe rubis, profonde et riche ; élégant et vif, d'une extraction délicate ; nez délicieux de cassis et d'épices ; moyenne puissance, souple, gras, énormément de charme, des tannins mûrs et solides.
> Un vin de plénitude.
> Note ★★★

justice un grand producteur d'herbicides, prétextant que ses produits étaient la cause du problème. Entièrement rénovée depuis, la propriété est en bonne voie de réaliser son potentiel en tant que producteur de l'un des plus grands vins de Saint-Estèphe.

Le vignoble, situé entre Montrose et Calon-Ségur, sur des sols principalement sablonneux, produit des raisins aux arômes particulièrement raffinés et souples. L'âge mûr des vignes, certaines ont 60 ans, ajoute profondeur et complexité. Tant et si bien que

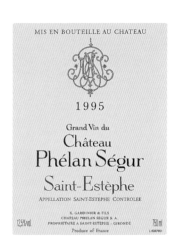

l'œnologue bordelais qui conseille la maison appelle Phélan-Ségur le Saint-Julien de Saint-Estèphe.

Thierry Gardinier, le fils de Xavier, surveille avec attention chaque étape de l'élaboration du vin, du raisin au produit fini. Le travail manuel étant préféré aux méthodes modernes de désherbage, la terre est labourée selon les méthodes traditionnelles. Les rendements sont limités, les raisins sont vendangés à la main dans des petits paniers et, à l'arrivée au vendangeoir, triés sur un tapis roulant pour éliminer les grappes pourries. La fermentation a lieu dans de petites cuves en acier inoxydable afin de permettre à chacun des cépages principaux – cabernet sauvignon, merlot et cabernet franc – d'être stocké séparément, par origine et par âge. Thierry estime que la méthode traditionnelle de remontage, qui consiste à arroser le chapeau du vin en fermentation, accentue la dureté des tannins, aussi cette technique est-elle très peu utilisée à Phélan.

Depuis le millésime 1987, les Gardinier n'ont pas commis la moindre erreur. Lees années 1988, 1989 et 1990 sont de grandes réussites, le 1991 est un bijou de texture douce et de bonne structure, le 1992, d'un fruité impressionnant, témoigne d'une sélection rigoureuse des raisins dans une année de pluies diluviennes. Le succulent et charmant 1995 et le remarquable 1996 sont des vins riches, aux arômes savoureux de cabernet parfaitement mûr. Les détails des prix n'ont aucun sens aujourd'hui.

Vue d'ensemble de Château Phélan-Ségur,
qui surplombe l'estuaire de la Gironde,
sur la commune de Saint-Estèphe.

LE PIN

33500 Pomerol
Tél. : 05 57 51 33 99 Fax : 05 57 25 35 08
Visites : non ouvert au grand public

*P*our être le vin rouge le plus cher de Bordeaux, ce vin ne déclara son premier millésime qu'en 1979 et, de fait, ne peut être considéré comme un vin classique. Ajoutons encore que certains critiques ont tendance à pontifier pendant des heures au sujet des arômes puissants de chêne qui masquent le vin. À mon avis cependant, ces vins font preuve d'une continuité de qualité remarquable, millésime après millésime. Au cours de la fermentation, les vins peuvent atteindre des températures allant jusqu'à 32 °C, ce qui explique, avec la faiblesse des rendements, une texture et un bouquet riche, souple et gras.

Les tout premiers millésimes commencent maintenant à se développer merveilleusement, avec un 1982 fin et complexe, suivi d'un 1983 magnifiquement équilibré et un 1989 d'un grand exotisme. Les 1990 et 1996 sont les deux grands millésimes de la dernière décennie du XXᵉ siècle. De style très différent, le 1990 est voluptueux et crémeux, tandis que le 1996 est très concentré.

FICHE D'IDENTITÉ

PROPRIÉTAIRE : Jacques Thienpoint
VINIFICATEUR : famille Thienpoint
SUPERFICIE DU VIGNOBLE : 2 ha
PRODUCTION ANNUELLE : 600 caisses
CÉPAGES : cabernet sauvignon (90 %), merlot (10 %)
ÂGE MOYEN DES VIGNES : 18 ans
POURCENTAGE DE BOIS NEUF : 100 %
MEILLEURS DERNIERS MILLÉSIMES : 1996, 1990, 1989, 1986, 1983
MEILLEURS ACCORDS VINS ET METS : bœuf, agneau, gibier
RESTAURANT LOCAL : Plaisance à Saint-Émilion

St. Helena Wine Estate

Coutts Island Road, P.O. Box 1, Christchurch, Nouvelle-Zélande
Tél. : 0064 3 323 8202 Fax : 0064 3 323 8252
Visites : sur rendez-vous

*C*ette propriété a montré au monde entier que la Nouvelle-Zélande est l'un des rares endroits en dehors de la Bourgogne où le pinot noir peut être cultivé avec succès pour créer un vin aromatique et élégant digne de ce nom.

Situé juste au nord de Christchurch, sur les plaines de Canterbury, le vignoble fut planté en 1978 sur le terrain de Robin et Norman Mundy, horticulteurs qui y cultivaient des pommes de terre. À leurs débuts, les Mundy eurent la bonne fortune de suivre les conseils de l'un des plus grands viticulteurs du monde, Danny Schuster, qui fut pendant un temps le vinificateur de la maison. Le millésime 1982 de pinot noir reçut des critiques élogieuses pour ses arômes,

FICHE D'IDENTITÉ

PROPRIÉTAIRES : Robin et Bernice Mundy

VINIFICATEUR : Peter Evans

SUPERFICIE DU VIGNOBLE : 20,2 ha

PRODUCTION ANNUELLE : 9 000 caisses

CÉPAGE : pinot noir

ÂGE MOYEN DES VIGNES : 20 ans

POURCENTAGE DE BOIS NEUF : plus de 33 %

MEILLEURS DERNIERS MILLÉSIMES : 1996, 1995, 1991, 1988

MEILLEURS ACCORDS VINS ET METS : gibier et viande rouge

DÉGUSTATION

St. Helena Estate Pinot Noir 1996

Robe rubis clair, avec des nuances vermillon ; arômes de cerise et prune mûres ; le palais confirme la richesse et la substance perçues au nez ; équilibre superbe et plénitude soyeuse qui font la joie de tout amateur de pinot noir

Note ★★★

son assurance et sa structure. Ce cépage capricieux se trouvait manifestement dans son élément dans la région de Canterbury ; les étés de l'Île du Sud étaient longs, les automnes secs et les sols riches en calcaire.

Aujourd'hui, Robin Mundy est vigneron à temps complet, il dirige la propriété avec son épouse Bernice. Peter Evans, le vinificateur actuel, est un successeur digne du grand Schuster. Diplômé du collège d'agriculture de Roseworthy, en Australie – l'équivalent de Davis dans l'hémisphère Sud –, Evans fermente son pinot noir avec les peaux pendant en moyenne 15 jours, puis les vins vieillissent en fûts de chêne français pendant un an. Les vins de pinot noir furent très réussis en 1988, 1991, 1995 et 1996. St. Helena est l'une des rares propriétés à produire un vin de pinot gris, un vin blanc délicat, avec un bouquet floral et une finale longue et sèche.

CANTERBURY
PINOT NOIR 1996

Produced & Bottled by St Helena Wine Estate
Coutts Island Rd Christchurch
PRODUCE OF NEW ZEALAND
13% vol.   e 75cl

Robin Mundy et son épouse Bernice

VERGELEGEN

P.O. Box 17, Somerest West, 7129 Afrique du Sud
Tél. : 0027 21 847 1334 Fax : 0027 21 847 1606
*Visites : tous les jours, de 9 h 30 à 15 h,
sauf vendredi saint et Noël*

*V*ergelegen veut dire « situé très loin », et il y a indéniablement une impression de quiétude éternelle qui émane de cette propriété exquise du Cap Dutch dont l'histoire coïncide étroitement avec celle des premiers colonisateurs néerlandais et huguenots de l'Afrique du Sud. À l'origine, en 1700, la propriété fut accordée à Willem Adrianne van der Stel quand il devint gouverneur du Cap, succédant à son père Simon van der Stel.

Willem Adrianne était un homme aux talents multiples. Pendant ses six courtes années à Vergelegen, il tira profit de ses connaissances de botaniste, de forestier et d'horticulteur. Un demi-million de vignes

FICHE D'IDENTITÉ

PROPRIÉTAIRE : Anglo-American Farms, Ltd.
VINIFICATEUR : Martin Meinert
SUPERFICIE DU VIGNOBLE : 104,3 ha
PRODUCTION ANNUELLE : 40 000 caisses
CÉPAGES : cabernet sauvignon, merlot, cabernet franc
POURCENTAGE DE BOIS NEUF : 10 % (chêne américain)
MEILLEURS DERNIERS MILLÉSIMES : 1997, 1995
MEILLEURS ACCORDS VINS ET METS : ragoût de lapin, champignons
RESTAURANT LOCAL : Lady Phillips

La majestueuse montagne de la Table,
toile de fond de l'établissement vinicole Vergelegen

furent plantées, avec des camphres et des chênes, et 18 ranches pour l'élevage de bétail furent installés. Mais la rapidité de ses réalisations lui valut des ennemis et, en 1706, il fut licencié par les directeurs de la Dutch East Company et rentra aux Pays-Bas.

Au cours des deux siècles suivants, Vergelegen connut plusieurs propriétaires. De 1798 à 1899, ce fut la famille Theunissen qui assura l'activité viticole. Ensuite, la propriété déclina jusqu'à son rachat en 1917 par Sir Lionel Phillips, l'un des « Rand Lords » qui avait fait fortune dans la prospection des diamants à Kimberley. Son épouse, Lady Florence, réhabilita la demeure et les jardins, et dépensa des sommes énormes à remettre le domaine sur pied. Elle décida d'arracher les vignes et de pratiquer la polyculture.

En 1987, Vergelegen fut achetée par une société créée par l'association des entreprises de la Anglo-American Corporation et De Beers, qui accorda la priorité à la replantation des vignobles. Dès 1997, 104 ha étaient en production.

Tous les vins rouges sont issus des raisins de la propriété. Le cabernet sauvignon, qui représente près d'un tiers des vignes, est le cépage fleuron de la maison. Le merlot est également un cépage important, mais il y a aussi de petites plantations de cabernet franc, de sangiovese, de chardonnay et de sauvignon blanc.

Perché au-dessus de la Baie False, l'établissement vinicole de pointe est un bâtiment octogonal d'aspect frappant, conçu par les architectes parisiens Patrick Dillon et Jean de Castines, créateurs du chai de la deuxième année de Château Lafite-Rothschild à Pauillac. Pendant les vendanges de 1992, Martin Meinert, vinificateur de Vergelegen, travailla chez Lafite où il se lia d'amitié avec Gilbert Rokvam, directeur technique de Lafite. Par la suite, celui-ci rendit visite à Gilbert en Afrique du Sud et le conseilla sur le millésime 1993.

Le principe directeur de la vinification de Vergelegen est le soin délicat apporté aux raisins et au moût. Un système de gravité a été mis en place entre le lieu de réception des raisins, situé au-dessus du pressoir, qui à son tour est situé au-dessus des fûts. Les vins rouges sont d'un style fruité et suffisamment souple pour procurer un plaisir immédiat dès leur expédition, mais avec suffisamment de complexité, de structure, d'élégance et d'équilibre pour vieillir avec profit. Le 1995 Vergelegen Cabernet Sauvignon fut une réussite spectaculaire, gagnant une médaille d'or à l'International Wine Challenge de Londres dès sa première sortie. Qui sait si d'ici 2025, lorsque les vignes de Vergelegen seront arrivées à maturité, l'extrémité sud de l'Afrique ne produira pas un mini-Lafite ?

DOMAINE ROSSIGNOL-TRAPET

Rue de la Petite-Issue, 21220 Grevrey-Chambertin
Tél. : 03 80 51 87 26 Fax : 03 80 34 31 63
Visites : sur rendez-vous

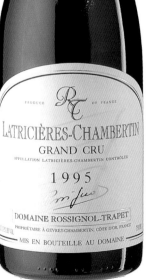

*C*ette propriété fut créée en 1990 lorsque l'ancien domaine Louis Trapet fut divisé entre Jean Trapet et sa sœur Mado, épouse de Jacques Rossignol de Volnay. Nicolas et David, fils de Jacques, redonnèrent de l'éclat au nom de Trapet, quelque peu terni par les vins médiocres issus des années 1980. Nicolas, diplômé d'une prestigieuse école de vin à Toulouse, est un vinificateur à la main légère, qui sait que le secret d'un grand bourgogne rouge réside dans les subtilités des arômes longs et succulents, et non dans le coup de fouet de la puissance alcoolique. Pour lui, le pinot noir dans le bourgogne est comme la main dans un

FICHE D'IDENTITÉ

PROPRIÉTAIRE : famille Rossignol-Trapet

VINIFICATEUR : Nicolas Rossignol

SUPERFICIE DU VIGNOBLE : 14,2 ha

PRODUCTION ANNUELLE : 6 000 caisses

CÉPAGES : pinot noir (95 %), chardonnay (5 %)

ÂGE MOYEN DES VIGNES : 40 ans

POURCENTAGE DE BOIS NEUF : de 25 à 30 %

MEILLEURS DERNIERS MILLÉSIMES : 1996, 1995, 1993

RESTAURANTS LOCAUX : Moulin aux Canards à Aubigny, Vendanges de Bourgogne à Gevrey

gant de velours, car c'est le sol qui façonne son caractère. Les vendanges à la main sont absolument essentielles, puisque seul un traitement délicat de la vigne lui assure une longue vie. Et parce qu'une vigne malade ne peut pas donner de bons vins, le pied de vigne doit être sain et sans virus.

Le domaine emploie des méthodes de vinification classiques, avec un égrappage partiel des raisins et des périodes de cuvaison de 14-16 jours. Les Rossignol pensent qu'une dégustation quotidienne des moûts est essentielle afin de déterminer le meilleur moment d'arrêter la fermentation. Comme tous les producteurs de bourgogne, leur but est de mettre en valeur l'expression de terroirs exceptionnels comprenant des crus tels Chambertin, Latricières-Chambertin, Chapelle-Chambertin et Beaune premier cru Teurons. Leur cave de Morey-Saint-Denis, rue de Vergy, produit un excellent bourgogne rouge, aromatique et assez effronté, à un prix raisonnable.

La famille est convaincue que l'utilisation de bois neuf doit

> ### DÉGUSTATION
> ### LATRICIÈRES-CHAMBERTIN 1995
> À l'ouverture, une robe vermillon clair à rebuter les critiques inexpérimentés dans l'art de déguster les grands bourgognes rouges ; couleur nettement plus profonde après 3 jours dans une bouteille soigneusement refermée.
> Bouquet très délicat, caractéristique de Latricières, doué d'un équilibre remarquable ; très épanoui et long en bouche.
> Un très grand vin vinifié d'une main légère.
> Note ★★★★★

rester subtile parce que le pinot noir est un cépage très aromatique et qu'il ne peut supporter trop de chêne. Voilà pourquoi elle n'utilise que 25 % de bois neuf pour les vins de Villages et 33 % dans les premiers crus. Pour les grands crus, tel le Chambertin, cette proportion peut atteindre les 50 %.

Le classique millésime 1993 de Rossignol-Trapet était particulièrement réussi, et le 1995 un vrai challenge pour le vinificateur qui devait garder la main légère afin de mettre en valeur tous les arômes et la finesse de raisins sains et mûrs mais concentrés et tanniques. Nicolas fut à la hauteur du test – son exquis Latricières 1995 en est le témoignage vivant. Ce domaine est en voie de rejoindre les maisons de premier rang.

Tableau des millésimes

*L*és tableaux des millésimes ne donnent qu'une idée approximative de la qualité attendue d'une année – il y a beaucoup d'exceptions. En effet, dans l'hémisphère Sud, surtout là où les températures peuvent être plus élevées, par exemple au Chili, en Afrique du Sud et en Australie, les variations entre les millésimes sont moins marquées. Cependant, un tableau des millésimes est une façon utile de classer les vins rouges de France, d'Italie et d'Espagne ; ceux de la Californie aussi. Le temps variable pendant cette période primordiale de début septembre, juste avant les vendanges, est un facteur critique en ce qui concerne la qualité du millésime.

Région	Année	96	95	94	93	92	91	90	89	88	87	86	85	84	83	82	81	80	79	78	77	76	75	74
Bordeaux		17	16	15	14	12	13	19	18	18	14	18	16	12	15	20	15	–	16	14	–	15	16	–
Bourgogne		18	18	15	19	14	17	20	17	18	15	13	17	–	15	13	15	–	16	18	–	16	8	–
Rhône		17	18	17	14	14	16	18	18	17	–	16	17	–	17	16	19	–	16	20	–	–	–	–
Piémont		17	18	16	15	15	14	18	16	18	–	17	18	–	17	15	16	–	16	20	–	–	–	–
Toscane		17	19	16	16	13	15	19	11	18	–	–	18	–	17	16	17	–	16	20	–	–	–	–
Rioja		17	17	19	16	14	15	16	17	14	18	14	17	–	–	20	–	16	–	–	–	–	–	–
Ribeiro del Duero		17	18	18	16	15	13	20	17	15	15	14	16	–	–	18	19	–	–	–	–	17	17	–
Californie		19	18	19	17	18	18	18	12	15	17	15	18	–	–	14	–	16	–	15	16	–	–	18

LÉGENDE

De 1 (le pire) à 20 (le meilleur)

17 Vin qui doit mûrir plus longtemps

17 Vin buvable, mais qui gagnerait à vieillir plus longtemps

<u>17</u> Prêt à boire

17 Toujours buvable peut-être, mais attention

– Millésime difficile à trouver

GLOSSAIRE

ANIMAL : Terme désignant les arômes et les bouquets relevant du gibier à poil et à plume. Laisse entendre un goût âpre et mature. Très caractéristique d'un bourgogne rouge mûri.

APPELLATION D'ORIGINE CONTRÔLÉE : Certificat garantissant l'authenticité et l'origine d'un grand vin français dont le nom paraît sur l'étiquette (ex. Volnay, Pauillac, Côte Rôtie).

ASSEMBLAGE : Mélange de vins de différentes cuves.

BARRIQUE : Terme désignant un petit fût en bois d'une contenance d'environ 190 litres.

BIOXYDE DE SULFURE (SO_2) : Gaz désinfectant (produit chimique) utilisé pour protéger le vin et empêcher la dénaturation biologique. Un surdosage peut rendre le vin imbuvable et provoquer des maux de tête.

CAVE : Cellier destiné aux vins, généralement en sous-sol.

CHAI : Terme décrivant un cellier ou un dépôt de vins, généralement situé au rez-de-chaussée.

CHAPEAU : Masse supérieure des raisins en fermentation, généralement constituée de peaux et de pépins.

CHÂTEAU : Exploitation vinicole, surtout dans la région de Bordeaux.

CLIMAT : Terme désignant une parcelle de vignoble ou un cru. Très courant en Bourgogne.

CÔTE : Utilisé pour identifier un vin, comme dans Côtes-de-Nuits. Ce terme signifie la qualité générique de base du vin issu de cette région.

COTEAU : Versant d'une colline.

CRU : Terme souvent utilisé pour désigner un vin, en général de grande qualité, en provenance d'un vignoble en particulier (voir grand cru et premier cru).

CRU BOURGEOIS : Une des propriétés viticoles très estimées du Médoc, dans une catégorie juste en dessous d'un cru classé. De manière générale, un bon cru bourgeois produit d'excellents vins.

CRUS CLASSÉS : Vignobles élites de la région de Bordeaux, classés pour la première fois en 1855. En général très chers.

CUVE : Grand récipient utilisé pour la fermentation du raisin.

CUVÉE : Le vin fini, après l'assemblage. La « tête de cuvée » désigne le meilleur vin d'un producteur.

DÉBOURBAGE : Clarification des moûts non fermentés pour en ôter les bourbes.

DEMI-MUID : Fût en chêne d'une contenance de 500 litres.

DOC/DOCG : Équivalent italien de l'AOC française, garantissant l'authenticité d'un vin défini.

DOMAINE : Propriété viticole, surtout dans la région de Bourgogne.

ÉGRAPPAGE : Séparation des grains de raisin de la rafle avant fermentation.

FERMENTATION MALOLACTIQUE : Transformation de l'acide malique en acide lactique (plus doux) pour assouplir le vin mais, en même temps, le rendre plus complexe.

FOUDRE : Grand tonneau en bois, sans taille particulière.

GÉNÉRIQUE : Terme désignant un vin AOC de qualité de base, tels le bourgogne rouge, le beaujolais, les côtes-du-rhône.

GOÛT DE TERROIR : Expression utilisée pour décrire le goût d'un vin, généralement un grand vin, aux arômes puissants, complexes, concentrés, avec des touches minérales liées au sol.

GRAND CRU : Classification la plus élevée, surtout utilisée en Bourgogne pour les meilleurs vignobles.

GRAS : Texture et bouquet souple et ample d'un grand vin.

LIES : Sédiments qui tombent au fond de la cuve pendant le procédé de vinification (les sous-produits de la fermentation).

LIEU-DIT : Nom désignant une parcelle de vigne en particulier, souvent d'origine folklorique (ex. Les Amoureuses à Chambolle-Musigny).

MAÎTRE DE CHAI : Chef des caves (en Bordelais).

MONOPOLE : Terme utilisé en Bourgogne se référant à une propriété vinicole ou une parcelle désignée appartenant à un seul propriétaire (ex. Clos de Tart, Romanée-Conti).

MOÛT : Jus du raisin et ses matières avant et pendant la fermentation, avant de devenir un vin.

NÉGOCIANT : Marchand et exportateur de vin.

NÉGOCIANT-ÉLEVEUR : Marchand qui achète des raisins, souvent pour élaborer ses propres vins qu'il fait vieillir lui-même avant la mise en vente.

PARCELLE : Unité cadastrale d'un vignoble sur une propriété vinicole.

PIGEAGE : Procédé consistant à enfoncer les peaux noires des raisins sous la surface du vin en fermentation afin de foncer la couleur et maximiser, de manière judicieuse, l'extraction.

PREMIER CRU : Dans le Bordelais, classification appliquée à une poignée de grandes maisons. En Bourgogne – ce qui prête à confusion –, terme désignant des vignobles de seconde classe et en dessous des grands crus.

PRIMEUR : Terme désignant un vin vendu jeune, en général agréable à boire quelques mois après les vendanges. Également utilisé dans le Bordelais pour désigner des clarets jeunes, achetés en quelque sorte « à terme ».

REMONTAGE : Procédé qui consiste à évacuer le jeune vin en fermentation par le bas d'une cuve et à le réintroduire par le haut afin de maximiser l'extraction de la couleur et des tannins. Une méthode plus grossière que le pigeage.

VIGNERON : Personne qui cultive la vigne.

VIN DE GARDE : Vin qui doit être conservé et mûri, souvent pendant une dizaine d'années, afin de développer toute la complexité des arômes.

INDEX

REMERCIEMENTS

*L'éditeur tient à remercier tous ceux qui l'ont aidé
dans la réalisation de cet ouvrage.*
p. 7, 27 e.t. archive ; p. 9, 10 H. Roger Viollet ; p. 14 Pichon Longueville
Comtesse de Lalande ; p. 15, 23, 25, 31, 32, 33, 34, 35, 37, 38, 40, 42,
44, 45, 46, 47, 231 Janet Price ; p. 16 Bodegas Muga ; p. 20 San Guido
Sassicaia ; p. 27 Liz Mott ; p. 60, 61 (arriba) Serge Bois-Prevost ; p. 69,
70 Gilles d'Auzac ; p. 177, 178 Emma Borg.